TS no. 10

Le panier de crabes

Distributeurs exclusifs

PARTI PRIS

C.P. 149, Station "N", Montréal, Qué.

Tél. 933-0992

L'Agence de Distribution Populaire

1130 rue Lagauchetière est,

Montréal 132, Qué.

Tél. 523-1182

SBNo–88512–040–X

Dépôt légal, Bibliothèque Nationale
du Québec, Montréal, troisième trimestre 1971

Jérôme Proulx

Le panier de crabes

UN TÉMOIGNAGE VÉCU SUR L'UNION NATIONALE SOUS DANIEL JOHNSON

Editions Parti Pris

LE PANIER DE CRABES

C'est par je ne sais quelle fatalité que je suis entré dans ce monde hallucinant de la politique, en mai 1966; quatre années plus tard, je quittais brutalement ce panier de crabes, expulsé par la viperine propagande des vieux partis.

Ce que je veux raconter, c'est mon passage dans les sinueux corridors du pouvoir, du patronage et de la corruption; ce sont ces longues heures perdues dans les couloirs d'un Parlement anachronique; c'est la fulgurante visite du général de Gaulle et ses implications historiques; ce sont les dernières batailles livrées par le Québec sur le front d'Ottawa par ce grand général sans armée qu'était Daniel Johnson; c'est la burlesque convention UN; ce sont les origines du bill 85, c'est l'odieux bill 63, et enfin mon adhésion toute naturelle au parti de René Lévesque, cheminement logique à tous ces événements.

C'est la description de la vie politique québécoise vue de l'intérieur par un témoin étonné qui s'est empressé de ramasser ses impressions et ses souvenirs avant qu'ils ne s'envolent et ne s'éparpillent dans l'oubli des heures et des jours.

UN COUP D'ÉTAT

Le soir du 5 juin 1966, les militants de l'Union Nationale furent aussi surpris de leur victoire que les libéraux de leur défaite.

La prise du pouvoir par l'Union Nationale présentait toutes les caractéristiques d'un véritable coup d'Etat. (Avec 40.9% du vote populaire, soit 1.2% de moins qu'en 1962).

L'UN s'était infiltrée partout, discrètement, à tous les niveaux, dans les corps intermédiaires, dans les commissions scolaires, dans les conseils municipaux, dans les salles de rédaction. Elle avait analysé minutieusement les comtés sûrs et y avait mis le maximum de son énergie; elle avait éliminé les candidats peu susceptibles de l'emporter et retenu ceux qui offraient des chances de victoire.

Le jeu des batteries avait été ajusté sur une soixantaine de comtés seulement. On avait fait une campagne à la grandeur du Québec mais seuls les comtés stratégiques avaient été visés.

Alors que le Prince (Jean Lesage venait d'être élu le plus bel homme de l'année), se promenait seul, ou plutôt se pavanait partout sans sonder le terrain où il allait, alors que les entrepreneurs entreprenaient joyeusement, l'UN avançait pouce par pouce, pied par pied, discrètement et lorsque le 5 juin arriva, chacun était à son poste et se battait désespérément. Le soir, le Palais était envahi, 56 députés occupaient les places fortes. Les habitués de la Cour n'en croyaient pas leurs yeux, encore moins les politicologues, les journalistes, les entrepreneurs et surtout ces bons bleus qui avaient fourni à la caisse libérale.

* * *

Quelques jours après la victoire, je partais pour Québec par la route transcanadienne, heureux, léger, roulant à folle allure. C'était mon premier caucus.

1 Le pouvoir

"Les malheurs des Mahatmas ne sont connus que des Mahatmas".
(Gandhi)

I

Ce premier caucus eut lieu au Motel des Laurentides, à Québec, les 9 et 10 juin. Ce fut une vraie fête, deux jours de réjouissances authentiques. Tous ceux qui avaient souffert des nombreuses enquêtes, des calomnies multiples, des médisances perpétuelles, toutes les victimes de l'Enquête Salvas, tous ceux-là qui avaient dû se cacher durant six ans, de peur de se faire montrer du doigt, tous ceux-là apparaissaient au grand jour, le visage triomphant, la tête haute. C'était une vraie Epiphanie.

La cote de l'Union Nationale avait beaucoup baissé durant ces six années d'opposition et de tribulations. Plusieurs avaient supplié M. Johnson de céder sa place, de renoncer à la direction du parti, alléguant l'impossibilité d'une victoire avec lui à la tête de l'Union Nationale; tous ceux-là qui l'avaient méprisé et ignoré venaient ces jours-là pour le féliciter et faire amende honorable mais surtout pour entrer dans ses bonnes grâces: il représentait maintenant le pouvoir, et ce pouvoir était personnel et absolu; il était devenu le puissant du jour, lui, qu'on avait affublé du surnom de "Danny Boy" et qui, avait-on souvent répété, ne deviendrait jamais Premier Ministre.

“Nous avons traversé un mur infranchissable, nous avons fait passer Daniel Johnson”, nous rappelait Fernand Lafontaine, ce futur ministre qui avait le génie de l’organisation.

Certains hommes-clés, calmes et détendus, se tenaient à l’écart: ils digéraient discrètement la victoire. Ces messieurs étaient de noir vêtus; ils parlaient peu et ils écoutaient; ils savaient pertinemment ce que représentait ce fameux pouvoir.

Des 56 députés élus, 36 n’avaient jamais mis les pieds au Parlement. Il était donc urgent que ce caucus ait lieu, afin de les initier à leurs nouvelles responsabilités et ainsi les empêcher de poser des gestes prématurés. Car plusieurs de ces députés étaient pressés, entreprenants; ils voulaient, nouvellement ordonnés et assermentés, exercer au plus tôt leur nouveau sacerdoce et distribuer aux bons, aux vertueux, aux honnêtes travailleurs d’élections, les bienfaits et les grâces de la nouvelle rédemption.

On nous prodigua des conseils de prudence et de modération, on nous invita à attendre et à observer: “Quand un ministre aura dit non, sa décision sera finale, ne venez pas me voir.” (M. Johnson se rappelait trop bien le régime duplessiste). “Que je n’en vois pas un se faire prendre les mains quelque part, il aura affaire à moi... Si jamais vous avez des problèmes financiers personnels, venez me voir, moi, plutôt que les entrepreneurs... soyez extrêmement prudents.”

Maurice Bellemare, le leader parlementaire y allait lui aussi de ses recommandations: “Tenez les contracteurs “au fret”, tenez-les loin de vous, évitez de monter à Québec avec eux. Surtout, de grâce n’en créez pas de nouveaux, ils ne vous lâcheront jamais... Tenez-vous plutôt avec la population, c’est pour elle que vous avez été élus... faites du bureau souvent... Si vous donnez un emploi à l’un des vôtres, sachez que vingt autres seront mécontents; et de plus celui que vous aurez placé vous demandera une augmentation de salaire au bout de six mois... N’oubliez surtout pas que vous aurez peut-être un jour à subir, vous aussi, une enquête Salvas... Vous vous tiendrez en Chambre constamment, nous n'avons qu'une majorité de trois députés... Lisez les règlements de la Chambre... Attention aux lettres que vous écrirez, elles vous reviendront peut-être en pleine face... De nombreux problèmes vous attendent: le budget, les grèves, la législation. Il faut revaloriser l'image et la fonction de l'homme public... Trop de scandales et trop d'enquêtes ont sali l'image du canadien-français depuis quelque temps... Attention à Québec, aux donzelles, elles peuvent vous entraîner dans des pièges malheureux."

* * *

"Les libéraux prêchaient la vertu, mais ne la pratiquaient point; nous essaierons de faire le contraire", avait dit M. Johnson à la fin de ce long caucus.

Dès le 22 juin 1960, le soir même de la victoire libérale, la voracité des appétits s'était déjà manifestée. Dans ses mémoires, M. Lapalme rappelle ses impressions du moment: "Non, je n'oublierai jamais ce soir de triomphe qui vit arriver ce que l'on a appelé "les libéraux du 22 juin", c'est-à-dire ceux qui, embusqués, ou traîtres, ennemis déclarés, ou profiteurs de tous les partis vinrent me faire une cour..."

En 1960, ce fut en quelques semaines, au niveau rural surtout, une razzia complète; des milliers de personnes de tous les ministères perdirent leurs emplois, plusieurs furent mutées à des coins reculés de la Province; des contrats furent déchirés, de nombreuses firmes firent faillite; les postes-clés furent occupés par les amis du régime, surtout les directorats de personnel; tous les employés de la voirie, au niveau des comtés, furent remplacés par des libéraux; chacun avait son club, sa taverne, ou s'attendait à l'avoir; de nouvelles compagnies étaient créées; les firmes d'ingénieurs et d'architectes s'adjoignaient des libéraux reconnus. Il faut ajouter à cela tous ceux des régies, des corporations scolaires, municipales, des corporations d'hôpitaux et autres à qui l'on signifiait leur congé. De nouvelles régies étaient créées et les amis du parti y détenaient les emplois supérieurs. Les procureurs étaient changés. Tous ceux qui faisaient partie de comités de moralité publique obtenaient des postes importants. Des gens du Devoir préparaient leur valise pour se rendre à Québec. Ils avaient tous jeûné depuis seize ans, ils allaient enfin pouvoir se remplumer. Et Lesage, par la suite, d'affirmer qu'il n'y avait pas eu de patronage! Quand les politicologues évoquent la grandeur, la profondeur, la hauteur et l'étendue de la Révolution tranquille, ils parlent peu de l'arrière-plan poussiéreux du régime Lesage. Les libéraux déclaraient ne point faire de patronage et ils en vivaient; ils ont été d'une rapidité, d'une dureté et d'une voracité semblables à celles des armées romaines en Gaule ou mieux aux armées napoléoniennes pendant la guerre d'Italie; la province leur appartenait et ils s'en emparaient.

Et dire que M. Lesage déclarait le lendemain de sa défaite de 66: "Moi, je donne un sévère avertissement à l'Union Nationale: pas de patronage. Nous l'avons combattu de toutes nos forces, quand nous étions là! " Etait-ce insconscience ou impudente hypocrisie?

Quand tous les postes-clés furent détenus par des libéraux, M. Lesage passa, en 1965, la Loi de la Fonction Publique qui accordait aux fonctionnaires les droits d'association, de négociation, d'affiliation à une centrale syndicale. Tous les fonctionnaires, anciens et nouveaux, devinrent ainsi protégés; après s'être montré plus que réticent à l'égard de la syndicalisation des fonctionnaires (qu'on se rappelle ses malheureuses paroles: "La Reine ne négocie pas avec ses sujets") voici que M. Lesage y avait enfin trouvé son compte.

* * *

Après la défaite libérale de 66, *“les nôtres”*, ceux qui attendaient depuis six ans, ceux qui avaient perdu leur emploi en 1960, ceux qui avaient été lavés et mis dans la rue, les jeunes qui rêvaient de faire “une piastre vite” comme leurs aînés, ceux qui avaient travaillé pour l’UN depuis 20 ans et demandaient quelque chose “pour la première fois”, les libéraux qui avaient supposément voté pour nous, tous ceux-là vinrent nous voir le 6 juin. Après avoir bénéficié du patronage qui entache toujours les vieux régimes, pour ensuite souffrir du jeune patronage libéral (les libéraux apprirent très vite), nos bons bleus ne s’attendaient pas à autre chose qu’à une redistribution de l’assiette au beurre dont ils voulaient profiter. Pour la plupart, il s’agissait tout simplement de tourner la page; le cauchemar était enfin dissipé et l’on allait revenir aux bonnes vieilles habitudes du passé.

* * *

Trois jours après la victoire, je fus *mandé* au bureau des anciens qui paternellement me dictèrent la conduite à suivre: “On va t’installer un bureau avec un secrétaire qui va s’occuper des trois comtés, on va prendre le jeune X, et toi tu vas t’occuper des activités sociales, tu iras aux mariages, aux réceptions, aux cocktails; les “autres choses”, on va s’en occuper”. Je leur demandai quelques jours de réflexion...

Quant aux plus jeunes que je croyais idéalistes et qui m’avaient épaté en me conseillant de ne pas faire de démagogie pendant la campagne, ils furent plus rapides, plus clairs, plus directs parce que plus inexpérimentés: “Le gâteau, c’est à nous autres maintenant; tu vas nous mettre ces gars-là (les anciens) à la porte et l’on va travailler ensemble; il nous faut la liste complète de tout ce qui se vend, s’achète et se loue dans le comté...” J’ai donc attendu patiemment, coincé entre deux groupes rivaux qui désiraient si ardemment “collaborer” au bien-être des 40,000 personnes du comté de Saint-Jean.

A mon inaction et à mes réticences, on répliqua par le chantage: “On va le débarquer à la prochaine élection”; “On va lui faire une convention”; “On va monter à Québec pour régler ça”. Et comme je ne “comprenais” pas très vite, ils résolurent de me passer par-dessus la tête. Ils communiquèrent avec les ministres pour leur faire part de leur “insatisfaction” à mon sujet. J’en fus tout de suite prévenu. Ils ignoraient qu’en dehors des périodes de crises les députés d’un même parti sont presque toujours solidaires les uns des autres: les partis possèdent eux aussi leur code d’honneur.

Certains présumés partisans montrèrent un empressement inattendu à renflouer la caisse électorale... après la victoire. Assurés de notre défaite, ils n’avaient pas daigné s’en préoccuper auparavant. Je les renvoyais poliment au bureau central à Montréal où ils étaient reçus.

* * *

Les astuces de ces professionnels de la politique sont multiples, le plus souvent fines, parfois grossières. “Si tu fais paver telle rue pour mon développement résidentiel, je te donne $5000, ce n’est pas pour toi, c’est pour ta famille, tu en as tellement besoin, tes dépenses sont si nombreuses à Québec”; ou bien c’est pour le parti: “Tu as certainement besoin d’argent pour tes organisations”. “Il faudra que tu viennes à notre club de pêche dans les Laurentides”. “Viens donc te reposer, à notre maison des Bermudes”. “Une bonne partie de chasse te reposerait, je fournis tout, l’avion compris”. *“Il fallait les tenir au fret”*, cette phrase me revenait constamment à l’esprit.

* * *

Le contrôle le plus important pour un député rural est celui de la Voirie. Les libéraux avaient mis à pied tout le monde en

1960 pour placer leurs partisans, à partir de celui qui tient le "fly" (flag: drapeau des travaux de voirie) jusqu'au sous-ministre (M. Labrecque, le candidat libéral défait dans Bagot en 1962) et ils étaient tous protégés par la Fonction Publique. Imaginons un instant tout le personnel d'une division de la Voirie, fortement politisé, qui part en guerre contre le nouveau gouvernement et qui tente d'accélérer sa défaite par un sabotage systématique; les embûches nous venaient de toutes parts. Tous ceux qui avaient été embauchés sous le gouvernement libéral étaient des organisateurs actifs qui connaissaient bien la politique et ses rouages. Il fallait donc trouver un moyen d'en sortir. On nomma un contremaître général de la voirie qui verrait au moins à sauver les intérêts du parti et à donner une administration plus équilibrée au niveau du comté. De plus les ingénieurs-divisionnaires furent presque tous interchangés et ils purent ainsi continuer leur carrière avec un nouveau député. A ma connaissance, personne en 66 ne perdit son emploi à la voirie, tandis qu'en 60...; au moment où j'écris ces lignes, on apprend que des centaines d'employés occasionnels ont déjà été renvoyés depuis avril 1970, et cela dans presque tous les comtés. M. Johnson avait été tendre avec les vaincus (on le lui avait assez reproché) mais tel ne fut pas le cas des libéraux de 60 et de 70, qui, eux, sont des gens pressés, expéditifs et impitoyables.

Le contre-maître contrôlait: 1° l'embauche des nouveaux employés, 2° la location de machineries, 3° la fourniture de sable, de gravier, et d'asphalte, 4° l'achat d'objets divers, 5° la préparation des projets de voirie au niveau du comté (les grands projets relevant surtout du bureau central ou du ministre lui-même), 6° les contrats d'ouverture de chemin en hiver et tous les "services" qu'il peut rendre ou ne pas rendre à chacun des électeurs. Qu'on imagine le contrôle qu'un député rural peut avoir s'il est de connivence avec l'ingénieur et le contremaître !

* * *

Les problèmes des comtés urbains diffèrent totalement des problèmes des comtés ruraux. A Québec et dans les grandes villes il existe un patronage de toute autre nature. Ce sont les influences ou les entrées que l'on a à la Régie des Alcools, par exemple.

* * *

Parmi les services susceptibles de corruption, nommons le Service des achats qui exerce une influence extraordinaire puisqu'il possède un pouvoir d'achat pouvant aller jusqu'à une centaine de millions. Cela pouvait donner lieu à la création de privilèges abusifs. Mais il semble que les deux régimes se soient efforcés d'éliminer, par certains mécanismes de contrôle, toutes formes de favoritisme. Y a-t-il eu certaines fuites, à certains niveaux? Peut-être à certains moments.

* * *

Il y a aussi toute cette pyramide de la Protection Civile qui demeure encore aujourd'hui une institution où l'on place les amis du régime, puisqu'elle n'est pas soumise à la Loi de la Fonction Publique; la Régie des loyers est dans le même cas; les employés sont remplacés, de l'administrateur à la simple sténo-dactylo, quand le pouvoir change de mains.

* * *

Les responsables qui sont à commission dans les bureaux émetteurs de permis de conduire sont également remplacés lorsqu'arrive un nouveau gouvernement. Certaines locations du gouvernement se font par bail et si l'expiration de celui-ci survient après la venue d'un nouveau gouvernement, on procède à des changements de locaux, dont sont responsables les ministres de chacun des ministères concernés. Ce sont des baux de longue durée: ils peuvent aller jusqu'à dix ans et représenter des millions comme c'est le cas pour la location d'un immeuble abritant tout un ministère. A ce niveau, le député n'a rien à dire, il ne s'occupe que des petites locations de son comté, comme celle de la Régie des Loyers.

Quand un gouvernement change, le contrat de transport de la Régie des Alcools est enlevé à celui qui le détenait du gouvernement précédent pour être remis à un partisan du nouveau régime; là, le député a son mot à dire. Après un changement de pouvoir, on confiera à de nouvelles agences de sécurité, la responsabilité de la garde des édifices gouvernementaux; mais cela ne relève plus de l'autorité des députés.

Un jour, nous étions six personnes à prendre le lunch: il y avait un juge avec son épouse, un ministre avec son épouse, la mienne et moi-même. Sous l'effet de l'alcool, le juge s'attendrit, il se ramollit et en veine de confidences, il nous raconta sa vie: "Dans les années 30, je travaillais pour Maurice... Il a fait de moi un juge. Je suis quelqu'un aujourd'hui... J'ai eu à juger des contestations d'élections et j'ai su être reconnaissant à l'égard de Maurice."

J'ai hésité avant d'écrire cela, mais c'est le souvenir le plus troublant de mes quatre années de vie politique. Quand on sait que le ministre de la Justice est du parti ainsi que le sous-ministre, que les procureurs, au criminel, au civil, au pénal et au bien-être sont du parti, que le shérif, le protonotaire, le geolier, le greffier, et les gardiens étaient du parti, et que ceux qui coupaient le gazon autour du Palais (c'est moi qui les nommais) étaient aussi du parti, et qu'au sommet de tout cela, le juge était reconnaissant au chef: tout cela donne le vertige. C'est l'abomination de la désolation.

Et j'ai pensé que des députés ont siégé alors qu'ils n'y avaient pas droit, que des personnes furent condamnées à la prison injustement, que d'autres ont perdu des fortunes, ont été mises dans le chemin, que des familles entières ont souffert de ce système inique, de ces juges, de tous ces fonctionnaires de la justice qui savaient être reconnaissants! C'est la désolation de l'abomination!

Aujourd'hui, toutefois, les protonotaires, les shérifs, les geoliers, les gardiens sont nommés par la Fonction Publique. Mais, encore là, certains députés, quelques rares fois, réussissent à passer des amis.

Les juges et tous les procureurs, (1) sont encore nommés par le ministre, et celui qui coupe le gazon, par le député.

* * *

Et la morgue!

Cinq jours après la victoire, on m'approcha pour que j'accorde la morgue (2) à l'un des directeurs de funérailles de mon comté, le seul qui ne l'avait pas; j'appelle l'un des fonctionnaires responsables et je lui recommande de "donner" la morgue à ce monsieur. Ce qu'il fit; "Et les autres, est-ce qu'on la leur laisse? Qu'est-ce qu'on en fait? " me demande-t-il, "Eh bien, qu'ils la gardent! " répondis-je. C'est ainsi que j'appris qu'un changement de gouvernement pouvait aller jusqu'à déranger les morts.

---

(1) Ils ont été changés, au mois d'août 70, par le nouveau ministre de la Justice, à Saint-Jean.

(2) On entend par là l'autorisation provenant du ministère de la Justice qui donne à un ou plusieurs directeurs de funérailles le droit d'entreposer les cadavres des accidentés, etc...

Les accidents mortels étaient une occasion de conflits entre le député, la Sûreté du Québec et les directeurs de funérailles. Et on se disputait les dépouilles avec le plus grand sérieux. O macabre patronage! (1)

* * *

Le patronage se fait dans presque tous les ministères; à la Voirie, évidemment, à l'Agriculture, où l'on accorde les heures de travaux mécanisés aux entrepreneurs du parti; l'inspecteur de ces travaux est nommé par le député, et le nombre d'heures est désigné par celui-ci; les contrats pour les cours d'eau, en bas de $25,000 sont accordés par le député à qui il le veut bien; il en est de même pour les contrats de moins de $5,000 et aux Travaux publics et à la Voirie. Quand fut créée la Régie de l'Assurance-Récolte, des hommes "sûrs" y furent placés, et c'est nous qui nommions les vendeurs de primes.

En 1960, sur environ 80 régistrateurs, une quarantaine furent limogés par les libéraux; quelques-uns furent aussi remplacés en 1966, mais aujourd'hui ils sont de plus en plus choisis par la Fonction Publique.

Et l'on pourrait, jusqu'à épuisement donner la liste des "modifications" qu'apporte un changement de régime.

Combien de députés ont-ils essayé de faire passer leurs protégés à la Sûreté du Québec, alors que les examens les avaient bloqués?

Combien de personnes ont-elles été engagées par différents ministères, sous l'influence directe du ministre et du député, alors que leur admission aurait dû dépendre uniquement de la Fonction Publique? Une liste de candidats choisis était remise au

---

(1) L'épouse d'un directeur de funérailles insulta un député à un cocktail: la semaine suivante, les cadavres changèrent allègrement de frigidaires.

bureau du personnel, et l'on s'informait auprès de nous pour savoir si cette personne était "catholique" ou "protestante" (1) (bleue ou rouge). Si elle était bonne pratiquante, elle était embauchée.

C'est la raison pour laquelle les nouveaux gouvernements remplacent les anciens directeurs de personnel par d'autres, afin d'avoir plus de "compréhension" et de "collaboration" de leur part.

Cela est injuste pour tous ceux qui posent inutilement leur candidature. Plusieurs députés et ministres poussent l'audace jusqu'à placer leurs protégés dans les comtés voisins, à l'insu même des députés de ces comtés. Un député de la région de la Mauricie se vantait d'avoir placé des gars de son comté à la prison du comté de son collègue voisin.

Certains députés testent les fonctionnaires pour connaître leur allégeance. S'ils sont de la leur, ils se lient d'amitié avec eux; sinon ils partent en guerre contre eux. Plusieurs aussi tentent de s'infiltrer dans certaines corporations ou Régies d'Etat pour y augmenter leur pouvoir.

Quelquefois des échanges s'opèrent entre les deux partis. Des députés au pouvoir avec d'autres dans l'opposition s'obtiennent des faveurs réciproques. Des liens d'amitié se créent parfois entre les députés à un point tel qu'ils en oublient leur appartenance à un parti donné: les partisans en seraient fort surpris et scandalisés (peut-être pas...)

* * *

Il va sans dire qu'encore aujourd'hui les comtés au pouvoir ont préséance sur les autres; Duplessis, au moins, l'avouait publiquement: "Si vous ne votez pas pour moi, vous n'aurez pas votre pont."

---

(1) Ce sont bien là les termes employés.

Les candidats défaits du parti au pouvoir se disent et deviennent les représentants réels de leur comté, le député de l'opposition étant boudé par le nouveau gouvernement. En 1966, ce fut à ce point grave qu'au mois de décembre, M. Johnson dut désavouer publiquement leur pseudo-mandat. Au début de juillet 70, M. Bourassa dut rencontrer ses candidats défaits afin de le leur faire comprendre... ils usurpaient le mandat du député au point de préparer eux-mêmes la liste des emplois gouvernementaux; ils poussaient même l'outrecuidance jusqu'à "faire du bureau" dans les centres de Voirie. M. Bourassa a dû leur demander d'être au moins un peu plus discrets. Pour mettre un terme à l'ambiguité de cette situation il faudrait revaloriser le rôle du député de l'opposition.

* * *

Certains députés voulant laisser croire que leur pouvoir était illimité, payaient eux-mêmes les contraventions émises par la S.Q. puis disaient aux électeurs concernés qu'ils avaient "arrangé ça"; cela leur donnait du prestige, mais à quel prix?

Pour ces députés qui ont fréquenté la vieille école politique, ces méthodes plus ou moins orthodoxes et dépassées font partie de leur éducation et il semble qu'ils soient incapables de s'en départir.

* * *

Il y a un corridor, une marge du secteur public et parapublic où le député peut jouer de son influence, de son prestige ou de son pouvoir, pour procurer emplois, contrats et faveurs; ce n'est qu'après un an de vie politique qu'il arrive à connaître l'étendue du champ d'action où il peut opérer, qu'il apprend à frapper aux bonnes portes, à approcher les ministres, ou les sous-ministres ou le ministre d'Etat, ou les chefs de cabinet ou les secrétaires particuliers susceptibles de lui aider à obtenir ce qu'il désire pour son comté, pour ses électeurs ou pour ses militants.

Après ce laps de temps, il se rend compte aussi que la compréhension et le dialogue sont souvent plus faciles avec les fonctionnaires parce qu'ils ont plus de temps et moins de problèmes à régler.

Si le député peut intervenir à certaines occasions cela demeure tout de même exceptionnel et son pouvoir de médiation est très limité par rapport à l'omnipuissance que lui prêtent ses électeurs. Ils croient à tort qu'il peut tout changer ou passer outre aux règlementations des ministères ou des régies, comme celles des allocations sociales, du prêt agricole, des contraventions de la route etc... Combien viennent nous voir, pour qu'on intercède auprès des juges, pour une augmentation de leur pension de veuve, pour qu'on leur procure un emploi. (1) Quand on leur explique que cela ne relève pas de notre juridiction, ils s'imaginent qu'on ne veut pas s'en occuper. Dans 95% des cas, on est là pour expliquer la loi, son fonctionnement, ses mécanismes, ses exigences, et pour répondre qu'on ne peut rien faire. Et ils repartent mécontents: "On saura pour qui voter la prochaine fois," nous disent-ils.

---

(1) Pour un député, qui en prenant le pouvoir ne procède pas à un "nettoyage", c'est-à-dire qui ne limoge pas les fonctionnaires non syndiqués qui détiennent leur emploi du régime précédent, le nombre d'emplois stables dont il peut disposer au cours de l'année se chiffre à moins d'une dizaine. Ce sont les postes laissés vacants pour cause de départ, maladies, mortalités etc... et aussi les nouveaux emplois créés par le gouvernement en place.

II

Le gouvernement du Québec se doit de retenir les services de professionnels tels que notaires, avocats, architectes, comptables, ingénieurs, estimateurs, analystes, mathématiciens, courtiers, actuaires, etc... Ils changent avec les régimes et ils sont partout omniprésents. On les voit dans les clubs des partis tels le Club Renaissance de l'UN et le Club de Réforme du parti libéral: ils hantent le Château Frontenac et les couloirs des édifices gouvernementaux et on les retrouve assis *au Café* du Parlement. Ils sont habituellement discrets, mais très efficaces et souvent influents parce qu'ils fournissent généreusement à la caisse. Les firmes d'ingénieurs ont souvent plusieurs associés: chacune a son bleu ou son rouge qui apparaît selon la couleur du régime. Certaines de ces firmes souffrent souvent d'un changement de gouvernement; alors elles s'en vont à Ottawa, quand c'est leur parti qui est au pouvoir: on peut comprendre pourquoi la majorité de ces gens-là sont fédéralistes. Ils sont fédéralistes parce que c'est payant pour eux. Les hommes d'affaire, les ingénieurs, les architectes, les courtiers, les entrepreneurs, les banquiers etc... sont en général peu politisés, ils sont apolitiques; mais le fédéralisme est un terme à monnayer, c'est une question d'affaires, une question de piastres. Pour eux la politique est une pourvoyeuse de dollars et quand ils fournissent à la caisse d'un parti, c'est un placement qu'ils font tout simplement.

Au début d'une campagne électorale, ils donneront davantage au parti au pouvoir; c'est dans la proportion de 60/40 qu'ils établissent le pourcentage, puis ils suivent le déroulement des événements. Vers la fin, le parti qui a plus de chances de l'emporter recevra davantage. Parfois ils se font berner.

Durant la campagne d'avril 70, Mario Beaulieu avait déclaré que l'UN ferait l'indépendance en 74 s'il le fallait, et Marcel Masse avait parlé d'une alliance possible, théorique, avec un autre parti. C'est alors que les capitalistes, fournisseurs habituels de la caisse de l'UN, effarouchés, passèrent en bloc du côté des libéraux, tandis que les vrais nationalistes vinrent à nous.

Quand le 5 avril 1970, le Parti Québécois fit son assemblée monstre, à l'Aréna Maurice Richard, l'on m'a affirmé que des hommes d'affaires et certains banquiers apeurés se sont réunis d'urgence le lendemain et ont voté une somme de l'ordre des millions, pour aider le parti libéral. C'était pour eux une question vitale... leur pourvoyeuse allait se détraquer. L'argent coulait donc à flot chez les libéraux: "Quand il nous en manque, on monte à Montréal, et l'on a tout ce qu'il nous faut", disait l'organisateur libéral de Saint-Jean.

Dans le passé, M. Bertrand avait publié un manifeste intitulé: "Le financement des partis politiques", dans lequel il déclarait qu'il s'imposait de régler au plus tôt cet éternel problème des caisses de partis. Devenu Premier Ministre il n'en fit rien, ou plutôt il déposa le projet de loi no. 1, projet qui réglait en partie ces difficultés mais avant même la passation de la loi il déclencha les élections.

* * *

Règle générale, les hommes d'affaires n'ont pas de conscience politique, ni sociale, encore moins nationale; leurs intérêts passeront toujours avant ceux de la nation et avant ceux du parti. De celui-ci ils tireront tout ce qu'ils pourront en extraire comme l'on presse un citron; lorsqu'il est vidé ils le rejettent et passent à un autre.

Ils changeront donc facilement et rapidement de parti. C'est pourquoi on les voit alterner d'un Club politique à l'autre, avec les changements de régime. La vie d'un peuple, son épanouissement, sa survie, sa souveraineté, ils ne comprennent rien à cela, ils ne le comprendront jamais. Ils n'appartiennent pas à la nation, ils n'en font pas partie intégrante; l'aspect "national" de leur être est atrophié; ils exploitent le peuple comme ils exploitent les députés et les ministres. J'expliquais à l'un d'eux que s'il prenait tout le gâteau, cela nuirait au parti, à moi-même et à lui-même en fin de compte: il ne comprenait pas, il lui fallait tout prendre pendant que cela passait. L'américain C.D. Howe, ce fabriquant et manipulateur de gros sous (il disait "What's a million") fut l'homme-clé des cabinets King et St-Laurent où il occupa presque tous les ministères à vocation économique, de la Production de la Défense au ministère du Commerce et de l'Industrie. Omniprésent, il fit plus qu'influencer la politique de ces deux gouvernements. Mais son obstination dans la tristement célèbre "affaire du pipe-line" où il dépassait les bornes de la plus élémentaire décence entraîna la chute du gouvernement libéral.

Comme Bellemare avait raison! "Tenez-les au fret, sinon ils vous auront tous".

En avril 70, la caste capitaliste s'est jointe à la caste libérale: ils se sont vus, ils se sont reconnus, ils se sont aimés. Ils se sont déclarés fédéralistes, comme ils se seraient déclarés n'importe quoi (pourvu que ce soit payant). Ils ont vu que le sol leur glissait sous les pieds, le contrôle allait leur échapper des mains. Alors la caste anglaise, unie à la caste marchande, a signé alliance avec la caste libérale et d'une voix unanime ils ont dit: "Sauvons la Confédération"; ils n'ont jamais songé à la constitution, ils sont trop pratiques pour penser en termes constitutionnels: "Sauvons la Confédération", ça voulait dire: "Sauvons nos meubles". Et depuis lors, ce nouveau "Family Compact" gouverne le Québec.

Si l'on demandait à J.-Louis Lévesque, à Paul Desmarais, à Peter N. Thompson, à C.D. Howe (s'il vivait encore), "Qu'est-ce que la Confédération pour vous? " Ils répondraient sans doute:

"Eh bien, voyez-vous, c'est une structure, c'est un cadre, c'est un système qui nous permet de faire des millions. Les Libéraux? des gars pratiques, qui comprennent le bon sens, ils ont les deux pieds sur terre".

Maurice Bellemare avait donc raison: "Il faut les tenir au fret" si l'on veut sauver et le parti et la nation.

* * *

Ce qui m'a toujours surpris, c'est ce mythe que l'UN était le seul parti patroneux et que les libéraux étaient des purs. Le patronage des bleus et celui des rouges ne se situait pas au même niveau. L'UN s'adonnait à un patronage prolétarien, celui des Canadiens-français; c'était des miettes qu'on distribuait au petit peuple ouvrier ou rural, des petits emplois et des petites faveurs; mais comme le peuple est bavard et vantard, tout se savait et tout se répétait.

Alors qu'il admirait C.D. Howe, (1) Lesage clouait au pilori les Bégin, Martineau, (2) et les autres. Par ses attaques, ses insinuations, ses enquêtes il en a fait des êtres odieux, des bandits de grands chemins. Et quand un petit dépassait la limite, on le marquait au fer rouge et c'était la prison.

Le parti libéral s'adonne à un patronage bourgeois: c'est celui des millionnaires, il est plus subtil, plus hypocrite, il se donne

---

(1) Jean Lesage était rempli d'une admiration béate pour cet Américain méprisant qui disait: "You, Canadian" et qui s'adonnait à un patronage de grande classe, un patronage de style, un patronage anglo-saxon.

(2) Un député m'a raconté que s'apercevant que la corruption politique était inévitable parce qu'inscrite dans les moeurs québécoises, M. Martineau s'était juré au moins d'en faire bénéficier des Canadiens-français.

l'allure de grosses transactions importantes, c'est un patronage discret, fait dans la complicité du silence.

Patronage du peuple, patronage de millionnaires: petite échelle, grande échelle.

Le patronage libéral est plus odieux parce qu'il se cache sous le couvert des affaires. Ce n'est pas là un mythe. Pourquoi pas une enquête Salvas sur l'administration libérale à Ottawa, surtout durant la guerre 39-45? Pourquoi pas une enquête Salvas sur l'administration qui a fait l'Expo 67? On n'en finirait plus, cela donnerait quoi, cela mènerait où?

L'Union Nationale avait fait alliance avec le peuple et l'on s'échangeait des miettes; le Parti Libéral a fait alliance avec l'Establishment et l'on s'échange des millions.

III

Un parti politique, c'est comme un club privé, ou mieux, c'est une caste, qui a ses lois propres, comme toutes les autres castes, la militaire, la cléricale, la marchande, ou la bourgeoise, elle a ses règlements non écrits, ses mécanismes secrets de fonctionnement. On y entre ou par la famille, ou par influence, ou par accident et l'on en sort rarement; l'on en reste marqué pour la vie. C'est un pôle d'attraction, d'influence, c'est un noyau autour duquel l'on gravite selon son poids respectif.

C'est aussi un club fermé qui a environ 2000 membres réellement actifs (une vingtaine par comté). L'influence s'y mesure par l'âge, l'ancienneté, l'argent et la réputation; le chantage, la perversion, le mensonge ou la droiture y jouent à différents degrés; c'est une société secrète (surtout en temps d'élections) qui a ses rites, ses habitudes, ses hauts gradés (qui ne portent pas toujours les signes extérieurs de leur puissance). L'on se reconnaît facilement, à l'oeil, par intuition, l'on s'aime réellement, en temps de paix et de prospérité (c'est-à-dire, quand on est au pouvoir) et l'on se protège réciproquement; les liens qui unissent les membres entre eux sont parfois plus forts que ceux de la famille; l'on s'entretue férocement quand arrivent les congrès ou les conventions, et l'on se recolle dans les heures de dangers comme dans les périodes d'élection ou de crises parlementaires, et souvent l'on se reconnaît après des séparations ou des heurts ou des divisions cruelles.

Malheureusement cela peut devenir facilement, dans une société, une caste d'exploiteurs et le patronage devient alors une opération financière qui ne profite qu'à quelques-uns.

Par patronage, il faut entendre cette institution, cette habitude politique, cette conception de l'esprit qui fait qu'on considère la chose de l'Etat comme étant celle du parti au pouvoir, de ses membres, de ses partisans; et cela au détriment de toute la collectivité. La politique devient un service pour un petit nombre d'exploitateurs, non plus pour l'électorat en général.

Tout cela demeure donc une lutte entre deux clans, deux groupes, deux partis rivaux, pour la possession du pouvoir et du contrôle, ne serait-ce que pour la satisfaction, la jouissance, la luxure même que cela procure.

C'est une dispute entre deux vieilles familles québécoises, la bleue et la rouge, qui au gré des élections se partagent l'assiette au beurre; cela se fait depuis toujours et cela se perpétue encore aujourd'hui: Robert Bourassa appelle ça de l'efficacité et Georges Tremblay, de la reconnaissance; Bernard Pinard, du bon patronage; d'autres ne le nomment pas, mais en font à longueur de journée.

Plusieurs voudraient élargir ce corridor qui permet au député de fonctionner plus facilement, d'autres veulent le rétrécir. Cela dépend de l'homme qui est en place, de l'esprit qui anime le chef de parti, des habitudes et de l'âge du parti. Je crois qu'on doit rétrécir ce corridor, pour le bien et des partisans et du parti et de l'Etat.

Cette machine à patronage, toute puissante, invisible, insaisissable, est une compagnie illimitée, sans charte; elle est faite de traditions d'amitiés, d'influences, de patience, d'astuces et de bon-ententisme. Tout est oral, rien n'est écrit; elle est faite de sourires complices, de mots couverts, elle a son langage propre. Et si le monde des affaires est un monde dur, ajoutez-le à celui de la politique, et cela devient impitoyable.

Mais quand cette machine roule trop bien, c'est à ce moment qu'elle craque, qu'elle brise et qu'elle entraîne ou le député ou le parti ou les deux dans sa désintégration.

On a souvent reproché à M. Johnson de négliger la restructuration de son parti. Or, il savait pertinemment qu'un parti au pouvoir quel qu'il soit, s'il est trop bien organisé, est susceptible de devenir l'instrument idéal de patronage, et c'est pourquoi il laissa tomber l'organisation et de Montréal et de Québec pour le plus grand bien de tous, en fin de compte. Il était de même très réticent à l'égard de l'association des Jeunes parce que là encore il savait que l'ambition et l'arrivisme n'ont pas d'âge et qu'on est aussi ambitieux à 25 ans qu'à 40. M. Johnson, habitué à déjouer la voracité des requins des eaux profondes et celle des vautours des grands charniers, était plutôt amusé de voir ces requins en herbe exercer leurs dents fines; ce qu'il craignait surtout, c'était leur inconséquente inexpérience qui risquait de saboter l'édifice gouvernemental et par le fait même le parti.

* * *

Quand un parti politique a la responsabilité de six millions de personnes, de leur être et de leur devenir, dans toute l'amplitude de l'expression, cette machine à patronage peut devenir pour celui-ci une entrave majeure. Je pense ici à la machine qui a fait élire Robert Bourassa et qui lui a donné les rênes du pouvoir ou à celle qu'a créée Maurice Duplessis, cette machine qu'il ne contrôlait absolument plus à la fin de sa vie.

Le patronage, c'est un labyrinthe où seuls les initiés peuvent se reconnaître; l'intuition y joue un grand rôle; on peut aussi le comparer à une pyramide à plusieurs étages, très peu situent les différents couloirs qui la composent; seuls ceux qui sont au sommet s'y reconnaissent; les autres s'amusent, à la base, avec peu de choses. Le député n'en connaît qu'une partie.

Réduire la vie politique à cette dimension ne serait pas exact, mais c'est là un aspect important. Limiter le rôle du politicien à ces activités "patroneuses" serait injuste et contraire à la réalité. L'idéal, le dévouement, le désintéressement, et le sens pratique et le sens électoral, et l'opportunisme, et la ruse s'entremêlent singulièrement et forment ce que l'on pourrait appeler le mystère de l'homme politique.

Certains hommes publics qui font de la politique depuis vingt ans, qui ont subi défaites et humiliations cuisantes à des élections scolaires, municipales, provinciales ou fédérales n'attendent qu'un moment, celui où ils pourront remettre les coups bas qu'ils ont reçus de leurs adversaires. "Il va aller prendre son café dans la rue, si j'ai ma chance", se promettent-ils. "On l'inscrira à l'Assistance Sociale" prophétisent-ils. La rancune, la vengeance, la haine, sont autant de leitmotive qui animent l'être politique. Rien ne se perd, rien ne s'oublie dans le coeur du politicien. D'autant plus que certains militants s'ingénient à faire perdurer cet état d'esprit et forcent l'homme public à nourrir une animosité constante à l'égard des adversaires. Ils sont là dans le parti, depuis dix, vingt, trente ans et traînent avec eux des rancunes personnelles qu'ils cherchent à assouvir.

Le député se trouve en perpétuel état de violence car s'il doit discerner chez ses militants ce qui est juste récrimination de ce qui est désir de vengeance, il doit aussi se méfier des partisans-exploiteurs qui ne se servent de lui que pour faire de l'argent et qui en viennent quelquefois à avoir un poids plus lourd que lui-même, l'élu du peuple, dans la balance du parti.

D'autres militants s'accolent au député afin de jouir du prestige que cela procure, afin d'avoir un certain contrôle, afin de détenir une parcelle du pouvoir: c'est la volonté de puissance à l'état restreint.

Pour d'autres, la politique est une obsession et quand ils ont eu "la piqûre" l'effet demeure la vie durant.

Fait curieux, il existe au sein même des partis des envieux, qui ne pardonneront jamais au député le fait d'avoir été élu. Ils le harcèlent de leur agressivité, ils le poursuivent de critiques acerbes et injustifiées. Ils le calomnient avec une impudence désarmante. Leur hargne ne connaît pas de trêve: ils veulent le détrôner. Car assez paradoxalement, l'envie qu'ils éprouvent à l'égard du député le couvre d'une gloire surfaite, ils lui prêtent un pouvoir irréel, ils lui confèrent un prestige inexistant. Ce ne sont que les fruits d'une imagination désordonnée. C'est l'envie du titre dans toute son aberration. Ajoutez à cela les courtisans qui tels des serpents enlacent pour mieux étouffer et cela devient parfois insupportable.

Ce sont tous ceux-là qui en fin de compte par leur inconséquence, leur avidité, leur excès et leurs abus, tuent un régime, un parti ou un député. Combien de fois n'a-t-on pas entendu dire: "Ce sont ses organisateurs qui l'ont battu", et il en suffit de peu de cet acabit pour compromettre la réputation d'un parti ou d'un ministre ou d'un député.

Heureusement, il y a les autres, les vrais collaborateurs, ceux qui sont animés d'un idéal sincère, ceux-là dont les services sont inestimables. Dans le système actuel, à moins d'une solution magique, se posera toujours pour le député l'éternel dilemne, à savoir: Comment se garder l'amitié, l'affection et la loyauté de ceux qui ont travaillé pour le faire élire? Comment soutenir leur intérêt pour la chose publique sans que toujours leurs intérêts personnels soient en jeu? Comment agir avec certains fonctionnaires qui sont placés là par un parti et qui n'ont qu'un but, eux et leur parti: détruire l'autre? Si un bleu aide le rouge, ce dernier s'en moquera plus tard et le traitera de naïf, comme cela m'est arrivé, et les bleus seront frustrés; et si les bleus sont les seuls bénéficiaires "du gâteau", on parlera de favoritisme...

* * *

Souvent pendant ces quatre ans de pouvoir, je me suis rappelé ce que disait Paul de Tarse: "Libre à l'égard de tous, je me suis fait l'esclave de tous, afin d'en gagner le plus grand nombre; je me suis fait Juif avec les Juifs, afin de gagner les Juifs, je me suis fait sujet de la loi, afin de gagner les sujets de la loi; je me suis fait un sans-loi avec les sans-loi, je me suis fait faible, afin de les gagner tous, les sans-loi et les faibles. Je me suis fait tout à tous afin d'en sauver à tout prix quelques-uns".

Je me suis fait partisan avec les partisans, je me suis fait rouge avec les rouges, je me suis fait fonctionnaire avec les fonctionnaires, je me suis fait Italien avec les Italiens, Juif avec les Juifs, *Canadien-français avec les Anglais,* je me suis fait tout à tous, pour les amener à mon parti, pour les gagner à ma cause, à celle de mon comté, et à celle du Québec. Libre à l'égard de tous, je me suis fait l'esclave de tous pour en gagner le plus grand nombre. Il faut les prendre tels qu'ils sont, comme on nous prend nous-même, pour les amener à notre cause...

* * *

Il faudra sans doute multiplier les mécanismes qui freineront les dangers de corruption, limiter les pouvoirs personnels et discrétionnaires de l'homme public... régler le problème du financement des partis... celui de la carte électorale, celui des mécanismes électoraux... et celui de l'homme.

* * *

Du 5 juin au 1er décembre 1966, c'est ce que j'ai appris de la vie politique québécoise, que je ne connaissais que par les livres, les journaux et les autres média d'information. Seuls les initiés sont au courant de ces choses-là. Seulement quelques milliers de personnes dans le Québec. C'était cela être au pouvoir, dans le terrible quotidien de la vie politique.

* * *

Quatre ans au Grand-Séminaire, dix ans d'enseignement littéraire dans un collège militaire, était-ce la meilleure préparation pour entrer dans ce panier de crabes? Mais qu'en est-il des autres castes, celle du monde des marchands, du monde des affaires, du monde des artistes, des écrivains, de ces castes militaires de certains pays de l'Amérique du Sud, de la Grèce, de ceux du Moyen-Orient? et celle des lobbyistes qui tournent autour du Pentagone?

Il me tardait de connaître la vie du Parlement et celle de l'Assemblée Nationale.

2 *L'Assemblée Nationale*

I

Le jeudi, 16 juin 1966, avait lieu l'assermentation du cabinet au Salon Rouge. Vingt ministres furent assermentés. C'était un cabinet provisoire. Et il le fut longtemps.

La nomination de certains ministres avait un caractère strictement honorifique car leurs responsabilités seraient en fait assumées par d'autres; il leur suffisait d'être là, bien en place; ils remplissaient le décor, ils faisaient le nombre.

Fernand Grenier, député de Frontenac, déclarait que l'obtention d'un ministère dépendait de trois impératifs: 1° la situation géographique; 2° l'ancienneté; 3° parfois le talent. La constitution du cabinet d'alors démontre que cette définition humoristique n'était pas sans vraisemblance.

Pour certains membres du cabinet, la chose la plus importante de toute leur carrière ministérielle fut certainement leur assermentation. Dès qu'ils furent sacrés ministres, ils disparurent dans une vie des plus effacées et des plus silencieuses qui soient; durant quatre ans, ils s'adonnèrent à une méditation des plus profondes qui s'apparentait étrangement au sommeil. Certains soirs, en Chambre il fallait baisser la voix de peur de les réveiller. Jérôme Choquette qui parlementait toujours très fort les faisait sursauter.

Un jour que Bona Arsenault insistait auprès de Jean Lesage pour obtenir un ministère, celui-ci de lui dire: "Tu comprends Bona, il faut beaucoup de compétence, beaucoup de jugement, beaucoup d'expérience et surtout avoir le sens de l'administration pour être ministre". Et Bona, de répondre: "Ecoute, Jean, ce n'est pas un poste de sous-ministre que je veux, mais bien celui de ministre. (Il fut, pendant six ans membre du cabinet Lesage).

Quand ils furent tous nommés, ou mieux, créés ministres, une métamorphose apparut chez plusieurs. Une grâce les entourait et se communiquait à tous ceux qui les approchait: ils étaient devenus des "honorables". Ils adoptèrent une nouvelle tenue vestimentaire et ils déambulaient le corps raide, surtout devant les visiteurs; ils se déplaçaient rapidement, se donnant l'air d'avoir la tête toujours remplie de problèmes insolubles.

Un certain ministre était le type parfait du métamorphosé. Combien avait-il de couturiers? Seul son coiffeur le savait; apparaissant un jour en Chambre avec un manteau trois-quart, on le surnomma le mini-penseur dans un maxi-manteau. Son chauffeur lui enfilait son paletot fait de peaux de bêtes d'Amérique du Sud et le lui enlevait délicatement; il lui ouvrait la portière de la voiture et déposait son journal sur ses genoux; même avec nous, de la députation, il pontifiait continuellement et il fallait toujours l'aborder avec des pincettes.

Presque tous les ministres cependant respectaient les députés, et cela à la différence du cabinet précédent qui, lui, les snobait; ils nous recevaient à leur bureau et dans la plupart des cas, on nous accordait la préséance sur les gros personnages et les entrepreneurs généraux. C'était pour eux la seule façon de garder contact avec la population et ses besoins.

* * *

Le soir de l'assermentation du cabinet, il y eut un grand cocktail au Château pour tous les amis, organisateurs et parents des nouveaux assermentés. La grande famille UN était un groupe chaleureux, simple, communicatif et nullement prétentieux; originaire de la classe rurale, de la classe ouvrière et de la petite bourgeoisie, elle formait un groupe homogène de réels québécois, d'authentiques canadiens-français. Plusieurs fournisseurs de la caisse s'y mêlaient mais ils savaient passer inaperçus; cela m'a pris quelque temps pour les identifier et mesurer leur importance dans le groupe. Les partisans de l'Union Nationale étaient en général très sensibles aux problèmes nationalistes, surtout avant le bill 63. Ils avaient aussi le culte du chef mais ils se laissaient malheureusement trop manipuler par les organisateurs.

La famille libérale présente d'autres caractéristiques: elle est snob, prétentieuse, et manifestait à cette époque, du mépris pour les gens de l'Union Nationale. Eux, de la Grande Allée, d'Outremont, de Westmount et de la rue Saint-Jacques dédaignaient ce parti minable qui avait maintenant les rênes du pouvoir; il était inconcevable que ces gens-là soient maintenant les maîtres de ce Palais où, croyaient-ils, ils avaient si dignement régné. Ce groupe politique est très hétérogène; il est composé de francophones, d'anglophones, et de néo-québécois, ce qui leur a souvent posé des problèmes en Chambre; il va sans dire que les nationalistes n'y ont plus leur place.

La haute bourgeoisie s'accommodait difficilement de la classe rurale; pour prendre le pouvoir elle a dû faire compromis et concessions multiples. Les libéraux fédéraux et provinciaux forment, de facto, la même famille d'organisateurs; on l'a bien vu au dernier congrès libéral où une trentaine de députés et ministres fédéraux ont appuyé le jeune et fédéraliste candidat de Mercier; au niveau des comtés, dans les paroisses et dans les rangs, ce sont exactement les mêmes organisateurs qui travaillent et au provincial et au fédéral. Le groupe le plus puissant dans cette famille est celui des financiers anglo-saxons pour lesquels les libéraux éprouvent une admiration mêlée de crainte; ce sont des "gars pesants," chuchottent-ils.

II

La première épreuve majeure qu'eut à subir le gouvernement fut la grève des hôpitaux, déclenchée le 14 juillet; celle aussi des employés de la Manic ennuya beaucoup le nouveau régime. M. Johnson nous avait convoqués la veille à un caucus, le 13 juillet et nous avait tous consultés. Dans ces périodes de crise, il regardait, attendait et laissait les événements se préciser avant de prendre position. Nous étions alors tous dans nos comtés respectifs en mesure de tâter le pouls de la population. Dans ces heures de grande tension, il lui fallait éviter les erreurs. Nous suivions le conflit de l'extérieur; un mouvement de mécontentement apparut alors dans la population: il s'imposait, selon elle, d'enlever le droit de grève dans tout le secteur public. Combien aussi parmi les députés pensaient de cette façon! Un ministre nous répétait souvent: "Ce ne sont pas les syndicats qui vont mener la Province, on a été élu pour gouverner; le pouvoir, on l'a et nous allons l'exercer." Ces paroles ralliaient une partie de la députation. Ceux-là surtout qui voulaient retourner aux belles années d'autrefois; ils acceptaient mal le syndicat des fonctionnaires parce que cela entravait leur oeuvre qualifiée aujourd'hui de "reconnaissance". M. Johnson s'acharnait à leur faire entendre raison. "Il faut savoir vivre et composer avec les syndicats", nous répétait-il souvent dans les caucus.

* * *

A la fin novembre, les libéraux se réunirent à Montréal pour leur congrès annuel, duquel ils sortirent plus divisés, plus effrités que jamais. Pierre Laporte était présent à toutes ces luttes intestines mais comme par hasard, Robert Bourassa était absent de toutes ces tribulations; il discourait un peu partout au Québec, et nourrissait des ambitions dont personne ne se doutait.

De juin à décembre, nous, les députés, suivions et vivions tous ces événements de très loin puisque nous nous rencontrions seulement dans de rares caucus. Cela permettait au gouvernement de mieux gouverner et aux libéraux de se diviser davantage.

III

Enfin, la session vint. Elle dura du 1er décembre 1966 au 12 août 1967.

La première fois que les visiteurs assistent, du haut de la galerie, aux séances de l'Assemblée Nationale, ils en sortent étonnés, scandalisés même. "Je n'en reviens pas, c'est ça le Parlement! " s'exclament-ils. Souvent dans une Chambre à moitié vide, tandis que l'un discourt, les autres parlent, écrivent et lisent les journaux; et il y en a toujours un ou deux qui dorment. Aussi quand des visiteurs importants venaient nous voir "légiférer", le whip (celui qui fouette), nous sommait-il de cacher notre journal et notre correspondance.

Tout le Parlement ressemble à un grand collège, ou mieux à un externat, car personne n'y couche même si l'on y dort souvent. Les sessions commencent habituellement à l'automne et finissent à l'été, le tout entrecoupé de congés à Pâques et à Noël.

Les députés ministériels disposent de bureau unique avec secrétaire particulière alors que les députés de l'opposition s'entassent trois ou quatre par bureau. Le parti au pouvoir ostracise les vaincus. Le Pouvoir, c'est fort.

Les gardiens sont là qui surveillent l'entrée du "Haut-Lieu de la race"; seuls les élus, ces grands-prêtres de la nation, peuvent pénétrer dans le Cénacle, le Saint des Saints, pendant les périodes de session. Chacun sait maintenant qu'il faut prêter serment à la Reine pour pouvoir y entrer et légiférer. On y siège de 3.00 à 6.00 heures de l'après-midi et de 8.00 à 10.00 heures du soir. Tous assistent au début de la séance car elle comporte la période des questions venant de l'opposition; vers quatre heures, on aborde l'étude d'une loi. C'est à ce moment que plusieurs députés retournent au Café du Parlement ou à leur bureau, ou ailleurs; les plus sérieux vont finir leurs mots-croisés, d'autres entament la lecture de leurs journaux, car l'homme public est un grand consommateur de journaux (si jamais on allait parler de lui dans l'édition du jour); les plus fatigués vont y faire leur sieste de 5 à 6.

A la séance de 8.00 heures, très peu reviennent car ils s'attardent à converser après un copieux dîner. Les députés en général sont de fins gastronomes; ils connaissent beaucoup mieux les bons restaurants de Québec que les lois qu'ils votent souvent sans jamais les avoir lues. Le soir, il y a rarement quorum; il en faut 30 sur 108 pour pouvoir siéger. Et quand l'opposition voulait retarder l'étude d'une loi ou se venger des méchancetés du gouvernement, elle exigeait le quorum. Alors, le Président se devait de suspendre l'assemblée jusqu'à ce que le nombre requis de députés soit atteint; et le whip affolé, de se mettre à leur recherche.

Jean-Noël Tremblay, qui se targue d'être un excellent parlementaire, s'est vu un jour devant une assemblée presque vide: c'était indigne de son talent. Il demanda à Fernand Grenier d'aller quérir les députés sous prétexte qu'il n'y avait pas quorum. Et Fernand de courir partout chercher un auditoire pour le ministre-orateur.

Seuls M. Johnson, M. Bellemare, M. Lesage et M. Laporte étaient réellement en mesure d'intervenir dans presque tous les débats, à cause de leur très longue expérience parlementaire. Quant à Robert Bourassa il ne parlait que d'économique; de ses 80 interventions en Chambre, 81 furent consacrées à l'économique.

La plupart des autres, peu habitués à ce club majeur, se sentaient perdus dans le dédale des procédures. Ils observaient et attendaient... la fin de la session.

Toutefois, même s'il n'est pas toujours qualifié, le député d'opposition peut se mêler à toutes les discussions. Celui du pouvoir ne se fait valoir en fait, qu'une fois l'an, lors de son intervention en réponse au discours du trône. L'occasion lui est alors donnée de discourir une demi-heure sur n'importe quel sujet, mais cela dans des conditions extrêmement difficiles; tandis que certains députés de l'opposition assistent indifférents ou occupés à terminer la lecture de leurs journaux, d'autres cherchent à lui faire perdre contenance en l'interrompant par des rires moqueurs ou des exclamations malencontreuses. Les collègues du pouvoir nous écoutent avec une oreille bienveillante et applaudissent avec force même si le discours a été médiocre. Sachant bien que ce discours n'influencera nullement les politiques gouvernementales, nous le faisions surtout dans le but d'impressionner les électeurs de nos comtés.

Ainsi un jeune député de Montréal prononça un jour un discours d'une heure, qu'il avait longuement préparé. A la fin, Fernand Grenier lui lança: "Vous venez de faire vider les galeries". Ce député avait fait imprimer au Journal des Débats mille copies reproduisant son discours pour les faire distribuer aux électeurs de son comté mais avec cette phrase à la fin, il va sans dire qu'il n'a jamais pu le faire.

Les "back-benchers" sont comme les hippocampes: ils se reproduisent une fois et ils meurent ensuite. Ces députés pondent un discours par session puis se taisent. Les libéraux ont actuellement cinquante back-benchers...

* * *

Avant que la session ne débute, tout le monde parlait de la fameuse opposition que formerait l'équipe du tonnerre et qui détruirait le gouvernement. Nous aussi, nous craignions cette équipe très réputée. Nous les connaissions comme tout le monde par les journaux et par la publicité faite autour d'eux. L'image, en fait, dépassait de beaucoup la réalité. M. Johnson nous disait: "Ne craignez rien, laissez-les venir, on verra bien". On s'aperçut vite que le Premier Ministre avait raison. Plusieurs ballons se dégonflèrent très vite. M. Pinard, Mme Casgrain, M. G.D. Lévesque, M. Cliche, M. Courcy étaient des parlementaires dans la grosse moyenne. Jérôme Choquette, lui, parlait beaucoup et élevait très haut la voix pour renforcer ses arguments. Nous vîmes que Bona Arsenault n'était nullement ce que l'on croyait: c'était un homme fin, cultivé, très raffiné qui faisait d'excellents et de très rares discours. Glen Brown se faisait remarquer surtout par les applaudissements qu'il prodiguait à ses collègues; chaque fois qu'il applaudissait, on craignait toujours qu'il ne défonce son bureau, parce que c'était un ancien joueur de football, (les libéraux en ont deux maintenant). M. Hanley, député indépendant, faisait toujours l'éloge du gouvernement et celui de Maurice Duplessis qui le laissait délibérément élire à chaque élection en lui opposant "un poteau" dans son comté, mais il attaquait à chaque occasion le maire Drapeau et son administration. Claude Wagner, d'autre part, était un faible parlementaire: il ne parlait que de la pègre, de la mafia, du péché, du mal, du crime organisé, du crime nonorganisé etc... M. Hyde, ex-président de la Chambre, s'était attiré le surnom d'anesthésiste de l'Assemblée. Emilien Lafrance nous répétait des discours des années 20, et s'inspirait du Cardinal Mercier, de Mgr Dubois, du chanoine Dupont, du curé Dulac et des Filles d'Isabelle; il ne s'est pas représenté à l'élection de 1970.

Pierre Maltais, de Saguenay, était sûrement celui qui faisait les interventions les plus colorées. Il y avait aussi Art. Séguin qu'on appelait M. Canada. Un jour, il nous parla de "fortitude intestinale"; à partir de ce moment-là, plus personne ne l'écouta. Quand ils rendront l'âme, un jour, ces bons députés, très peu, je crois, très peu rendront l'esprit.

* * *

Plusieurs parlementaires cherchaient à influencer la population par les media d'information. Comme les journalistes vidaient les galeries vers six heures, ils s'arrangeaient pour que les débats importants se déroulassent avant cette heure. C'est pour la même raison que les débats d'urgence provoqués par l'opposition avaient toujours lieu avant cette heure-limite. On accordait peu d'importance aux débats du soir puisque les journalistes ne les "couvraient" pas, étant occupés à préparer leurs articles ou commentaires pour le journal du lendemain. Les nouvelles du mercredi suscitent peu d'intérêts car ce jour-là plusieurs journaux consacrent des pages entières à des annonces. Les députés, avides de publicité, s'efforçaient donc d'avoir les manchettes du samedi. M. Yves Michaud me dit un jour: "J'ai enfin trouvé le truc pour décrocher les manchettes; c'est une question de technique..." Il m'expliqua qu'au départ il fallait un sujet explosif, qu'on exploite dans une période calme, au bon moment, avec des phrases-choc. Dans l'affaire de Ville St-Michel, M. Michaud eut, enfin, la manchette des journaux du samedi.

* * *

Je me demandais souvent pourquoi M. Johnson était si peu impressionné par les discours que prononçaient en Chambre M. Lesage ou M. Gérin-Lajoie ou M. Laporte; ils parlaient pourtant avec assurance, avec abondance et avec intelligence. C'est qu'ils avaient perdu toute audience auprès du public et M. Johnson le savait; ils pouvaient s'époumoner, cela ne le préoccupait guère.

* * *

Quel est le rôle des députés dans tout cela? Ils servent évidemment et surtout à donner le pouvoir à un parti et à le soutenir en Chambre par leurs votes et par leurs présences. Entre 55 et 60, ils ont un prix inestimable, (il en faut 55 pour prendre le pouvoir); on ferait tout pour les garder; ce sont des députés en or. De 60 en montant, ils peuvent devenir encombrants et multiplier les possibilités d'erreurs et de gaffes. Et, en bas de 53, ils peuvent former une bonne opposition, mais elle est nécessairement disparate et difficile à maîtriser. M. Lesage en sut quelque chose pendant quatre ans.

Le député donne donc son premier discours; il assiste aux débats et s'intéresse à ce *grand jeu;* au bout de quelques mois, il commence à éprouver un sentiment d'inutilité. Cela l'ennuie beaucoup de voir les aînés décider de tout sans le consulter et de se faire bercer doucement, paternellement, par eux, par "des gros chanoines" comme disait Pierre Roy, député de Joliette. A la fin, il se pose de sérieuses questions sur sa raison d'être à l'Assemblée Nationale.

Souvent, certaines sessions n'en finissaient plus et tous étaient épuisés. Un jour, M. Laporte eut cette remarque que tous les parlementaires auraient pu avoir: "On est tanné d'élever nos enfants par téléphone". Les séances commençaient parfois le lundi et se terminaient le samedi midi.

* * *

Un soir, un député, sortant avec un petit groupe après une "dure" journée de travail en Chambre, lança: "S'il fallait que nos électeurs nous voient ici perdre notre temps, on se ferait laver". Or certains, extrêmement dévoués à leur comté, ont été battus et d'autres qui s'amusaient follement ont été réélus. J'ai à l'esprit ce député libéral qui n'a jamais dit un mot en Chambre pendant quatre ans, qui était en retard ou absent aux séances et qui se foutait de tout: il a doublé sa majorité en avril 1970. Le peuple a des raisons que la nation ignore.

Un gouvernement à faible majorité, comme celui de l'Union Nationale en 66, avait un avantage marqué; cela forçait les députés à demeurer en Chambre, ou pas très loin, en cas d'un vote-surprise. Nous étions presque toujours prêts à aller voter, excepté une fois.

Cet après-midi là, l'on sonna la cloche pour l'appel au vote, nous étions 44 contre 45. Les cloches sonnèrent durant une heure; on a pu enfin en trouver deux qui jouaient au golf et un autre qui dormait à son appartement: résultat 47 à 45. M. Johnson eut à l'heure du souper une longue conversation avec le whip en chef et avec ses assistants. Cela n'arriva qu'une seule fois en 4 ans. [1]

---

(1) Les libéraux fédéraux furent un jour battus aux Communes au début de l'année 1968: ils se sont trouvés quand même des raisons pour rester au pouvoir, avec l'aide de quelques députés de l'opposition, surtout les créditistes.

Souvent lorsque sonne la cloche, les députés envahissent la Chambre à la course et parvenus à leur bureau, demandent à leur voisin: “Pourquoi vote-t-on? ” Celui-ci ne le sait pas et le demande à l’autre qui l’ignore lui aussi. Il faut attendre que le Chef se lève avant de voter, car ils pourraient se tromper et voter avec le parti adverse; et après avoir accompli aussi légèrement cette fonction législative majeure, ils retournent qui à leur bureau, qui au Café du Parlement, qui ailleurs.

* * *

Il y a à Québec un personnage que l’on rencontre partout, dans les corridors, au Café du Parlement, chez les députés, chez les journalistes, au Château; on le voit en Chambre, des deux côtés, le soir et quelques fois l’après-midi; il est omniprésent; il importune tout le monde, surtout les épouses; il nuit encore plus qu’il n’ennuie. Il brise impunément des carrières, des réputations et des mariages. M. Bellemare nous avait supplié de ne jamais le laisser entrer, au moins, dans nos bureaux du Parlement et du comté. Il coûte cher pour celui qui veut l’accompagner; il est le plus souvent gai, quelques fois triste, toujours bavard, ce qui est fortement à déconseiller pour l’homme public; plusieurs entrepreneurs avaient souvent recours à ses services. Emilien Lafrance s’en était fait son ennemi juré; il n’a jamais eu sa tête et on ne l’aura jamais. On pourra battre n’importe quel député, on pourra renverser n’importe quel gouvernement, opérer n’importe quel coup d’état ou même changer la constitution, mais on ne pourra jamais l’avoir sur son propre terrain, parce qu’il se cache dans les replis les plus secrets de l’être humain. Les Grecs adoraient ce personnage; les Américains, éternels puritains, l’avaient prohibé; Mgr de Laval le pourfendait de ses excommunications; les Québécois l’ont encadré dans une Régie: ce personnage, c’est Bacchus.

Plus d'un député succombe à la tentation du narcissisme et quand cette malédiction s'empare de l'esprit de l'homme public, cela tourne vite à l'état obsessionnel, il devient alors comme possédé et n'a de cesse à se repaître de son image; il recueille tous les articles de journaux qui font mention de sa personne; il les collige et les classe avec grande minutie; il engueule les journalistes qui n'ont pas ou mal rapporté ses paroles: il est devenu le verbe incarné. Il possède une espèce de science infuse, et il explique bien des choses à ses électeurs qui le regardent avec respect et vénération. Mais le soir de l'élection, quand le miroir se brise et que Narcisse s'envole parce que le peuple a changé de culte, cela fait perdre de cruelles illusions. Le seul exorcisme efficace pour cet homme, c'est la défaite.

* * *

Comme Washington, Brasilia et Ottawa, Québec est une ville de transit où l'on passe et où l'on s'arrête un moment dans sa vie, où tant de rêves et d'illusions se brisent contre ses vieux murs, où les intrigues se nouent et se dénouent si rapidement, où des fortunes se font et se défont si facilement, où les carrières sont de plus en plus éphémères. On y arrive, le jour, heureux, vainqueur et souvent arrogant, en plein soleil; et l'on en repart, vaincu, la tête basse, la nuit, incognito. (1)

---

(1) Claude Wagner n'a même pas lu sa lettre de démission; il l'a remise au Président de la Chambre qui nous l'a communiquée; M. Lechasseur fit la même chose. Tous deux, députés d'opposition, furent nommés juges par le gouvernement Bertrand, fait sans précédent dans l'histoire du Québec. En nommant M. Wagner juge, M. Bertrand n'a fait qu'enlever une embûche dans le chemin de M. Bourassa qui s'achemina plus aisément vers la victoire. Robert Bourassa a commencé sa carrière dans la facilité; comment la finira-t-il?

IV

Notre première session fut beaucoup plus chargée que ne l'ont laissé croire certains critiques; 99 projets de loi furent adoptés. On oublie facilement que durant cette période eurent lieu la grève des professeurs et des employés d'hôpitaux, l'Expo et la visite de 60 chefs d'Etats environ et surtout la visite du Général qui occupa ou mieux préoccupa tout le monde pendant un bon mois; de plus, en Chambre la majorité minimale du gouvernement présentait toujours un danger et créait une tension pour le chef du gouvernement; à cela s'ajoute un cabinet dans l'ensemble moyen, composé de quelques ministres qui faisaient beaucoup plus de déclarations que de travail; avec enfin une députation profondément divisée, une aile droite importante par le nombre qui tirait de l'arrière et une aile "gauche" plus progressive et d'avant-garde; il y avait aussi le centre qui, lui, réfléchissait beaucoup et qui méditait profondément sans dire à personne ce qu'il pensait; on ne l'a guère jamais su.

C'est par le projet de loi no. 21 qui créait les CEGEP qu'apparut ce qui nous divisait; la même division existait aussi dans l'opposition. Ce projet de loi fut déposé en janvier 1967 et ne fut adopté qu'à la toute fin de juin de la même année. Il fallut six mois de patience, de déclarations rassurantes, de comités, et d'audiences publiques pour calmer toutes ces consciences timorées qui voyaient la foi s'envoler et l'agnosticisme s'installer dans notre système d'éducation.

Pour plusieurs, le grand-prêtre de l'athéisme était Arthur Tremblay qui avec d'autres, avait fomenté ce complot qui amènerait au Québec la déconfessionnalité totale. Des députés, des curés et des laïcs demandaient sa tête.

Plusieurs députés avaient fait leur campagne contre la réforme scolaire condamnant l'opération 55, la régionalisation, les polyvalentes trop vastes, le transport en commun des élèves etc... La réforme scolaire allait trop vite; elle brisait toutes leurs habitudes de vie et de pensée; elle détruisait, iconoclaste, tous ces temples sacrés où ils avaient été formés; c'était tout leur passé qui s'écroulait et ils répugnaient à s'y résoudre. Ce n'était pas tant une question de foi qu'un mode de pensée et une façon de vivre qui étaient bouleversés et cela les troublait profondément. Arthur Tremblay était, pour eux, le responsable de tous ces bouleversements et ils exigeaient son départ.

Mais voici qu'il faut continuer cette réforme, qu'il faut achever l'oeuvre entreprise depuis six années. Il est absolument impossible d'arrêter ou même d'attendre et encore moins de reculer.

Le règlement no. 3 et le bill 21 avaient pour objectif de créer un nouveau réseau d'enseignement entre le secondaire et l'universitaire; cette loi permettait de créer des institutions qui constitueraient un réseau public complet de niveau collégial; elle ne visait aucune institution en particulier mais au contraire elle permettait de créer de nouvelles institutions. C'était tout ce réseau de collèges classiques, d'institutions, d'écoles normales, d'écoles techniques qu'on allait transformer de fond en comble pour en faire un réseau complet, unifié, organisé, et gratuit. C'étaient ces bastions, ces réserves cléricales qui allaient ainsi disparaître et cela troublait tout le monde. Les éducateurs de ces institutions toutefois acceptaient ces réformes parce qu'ils savaient que c'était irréversible et dans l'ordre des choses.

Les évêques perdaient ainsi leur chasse gardée et plusieurs communautés leur raison d'être; elles sentaient que cela leur glissait des mains. On s'y résignait avec beaucoup de réticences et on influençait tel ou tel député; on voulait que la confessionnalité au moins soit garantie par la loi et qu'on laisse un réseau parallèle au niveau privé; un député a même consulté son confesseur pour savoir s'il pouvait en conscience voter pour ce fameux bill.

M. Johnson attendait et laissait les choses se préciser; chacun se débattait à la commission sur l'Education; on faisait caucus sur caucus, l'enfantement s'avérait difficile; il s'imposait de ne rien brusquer. Il nous fallait opérer doucement afin de donner à chacun le temps de se familiariser avec l'idée.

Il s'imposait de faire en sorte que la volonté de réforme vienne de la population et non du gouvernement; et pour ce, le gouvernement devait conserver à chacun son poste et rappeler que toutes ces institutions seraient achetées à coup de millions; ce dernier point aida à calmer certaines consciences qui à la fin comprenaient mieux les exigences de la réforme scolaire.

Le projet de loi no. 21 fut enfin adopté à la fin de juillet 1967; au printemps 1968 toutes les institutions entendaient devenir des CEGEP à ce point que le projet initial de cinq ans pour les installer tous, fut réduit à trois ans. Il fallut toute la patience et toute l'intuition de M. Johnson pour faire passer cette loi sans perdre aucun député. Tous ceux qui avaient condamné la réforme scolaire votaient pour le bill 21 qui complétait le réseau scolaire de la maternelle au collégial.

Il ne restait plus qu'à passer le projet de loi no. 57, créant le Conseil des Universités et le projet no. 88, créant l'Université du Québec; et le réseau était complet. Personne ne s'opposa à ces projets.

C'est là que j'ai compris que toutes les réformes, toutes les révolutions, qu'elles soient tranquilles ou non, doivent venir d'en-bas et non d'en-haut. Si le gouvernement avait imposé cette loi au début, elle n'aurait jamais été acceptée, mais en habituant peu à peu les récalcitrants à l'idée de la réforme il put la faire digérer et accepter. Des amendements furent ajoutés; et à la fin tous exigeaient qu'on la passe au plus vite pour l'automne suivant.

Les réfractaires les plus irréductibles se sont résignés et les oppositions se sont dissipées. A la fin de juin, on faisait signer des pétitions pour obtenir ces fameux CEGEP.

* * *

Le projet de loi no. 33 voté en avril 67, modifiait le ministère des Affaires Fédérales-Provinciales qui devenait celui des Affaires Inter-Gouvernementales; il affirmait la volonté du Premier Ministre de s'occuper pleinement de tous les domaines de sa compétence et de se donner les moyens d'agir le plus efficacement. Ce ministère devait s'occuper non seulement des relations avec Ottawa et les autres provinces mais aussi avec tous les autres gouvernements du monde, y compris la France bien-entendu.

Manifestement désireux d'affirmer la vocation internationale du Québec, M. Johnson se rendit à Paris au mois de mai et il fut reçu par le Général de Gaulle avec tous les honneurs accordés à un véritable chez d'Etat.

* * *

Que se sont dit de Gaulle et Johnson à cette occasion? Sans doute, se sont-ils entretenus du Québec, de son avenir, de son développement économique et industriel; ils auront aussi discuté de la francophonie et du satellite de communications. Johnson sentait bien que les alliés naturels du Québec se trouvaient de ce côté; l'oxygène ne pouvait venir que de la France; et M. Johnson invita le Président à venir sur la terre du Québec.

3 *La visite du Général*

C'est dans l'enthousiasme que l'on reçut le Général de Gaulle.

A Paris, une délégation québécoise avait préparé dans le menu détail tout le programme et l'itinéraire du Président de la France. Un comité d'organisation, dirigé par Maurice Custeau, (1) avait tracé le chemin du Roy. Des centaines de milliers de drapeaux fleur de lysée avaient été commandés; sur la route, des fleurs de lys avaient été peintes partout; un arc de triomphe s'était élevé à la sortie de Québec; des arrêts avaient été prévus à chaque ville, de Sainte-Anne-de-Beaupré à Montréal.

Maurice Bellemare avait fait dévier le parcours afin qu'on s'arrêtât dans sa cour; Paul-Emile Sauvageau avait insisté pour que le cortège passât dans son comté. Tout était bien préparé. On voulait stimuler la fierté française et recevoir dignement l'invité présidentiel.

J'assistai au dîner offert en son honneur, le dimanche 23 juillet, au grand Salon du Château. Tout près de moi, voisinant la table d'honneur, se trouvaient Jean Marchand, Jean Lesage et l'archevêque anglican; tout le long du repas, ils souriaient si peu

---

(1) Il a réussi le chemin du Roy comme il a réussi la Loto-Québec.

que pas. Et lorsque au début du dîner, le Général porta un toast à son ami Johnson, MM. Lesage, Marchand et tous ceux qui les accompagnaient refusèrent de lever leur verre; (il y a certains arbres qu'on peut mesurer facilement, même lorsqu'ils sont debout (les petits). Ces gens-là ne pouvaient comprendre notre joie et communier à notre enthousiasme.

Et voici que le Président parle de l'Hydro-Québec, de "cette puissante entreprise nationale, du gigantesque barrage de la Manicouagan"; M. Johnson souriait et cherchait de l'oeil René Lévesque aussi heureux que le Premier Ministre; Marchand, lui, pompait nerveusement sa pipe; Paul Martin, assis au bout de la table, impassible comme toujours, regardait le plafond.

A la fin du repas, tous les invités donnèrent la main au Général, qui, simple, détendu, avait un bon mot pour chacun d'entre nous.

Une idée lui trottait au fond de la tête.

* * *

Le lendemain le voyage commençait; Donnacona, Ste-Anne, Trois-Rivières... jusqu'au balcon de l'Hôtel de Ville de Montréal, ce lundi soir du 24 juillet 1967.

"Vive le Québec livre", la bombe préparée depuis longtemps, (depuis deux siècles peut-être) éclata soudain. "Une sorte de choc auquel ni vous ni moi-même ne pouvions rien, c'était élémentaire, et nous avons tous été saisis..." de dire de Gaulle deux jours après.

Tout l'ordre des choses venait d'être bouleversé soudainement, sans que personne ne s'y attende. L'horaire du Général fut modifié comme tout le reste fut, dès lors, changé.

L'ordre préétabli, centenaire, l'équilibre des choses et des êtres se rompaient; l'édifice craquait de partout. Par ces quelques mots, le destin d'un peuple se trouvait transformé. Tous discutaient de cet événement imprévu, imprévisible; on cherchait des raisons, des explications, des interprétations; les agences de presse s'affairaient; on commentait à Washington, à Paris, à Londres, à Moscou; tous les commis d'ambassades s'énervaient; on aurait dit une déclaration de guerre mondiale. M. Johnson et le Président, eux, gardèrent ce calme, cette sérénité et cette dignité qu'ont toujours les grands hommes dans les heures importantes. On venait de toucher à quelque chose de fondamental, de sacré: on était allé au fond des choses, au coeur même d'un peuple.

Le Général ne venait pas ici pour danser avec les petites québécoises; il ne venait pas ici pour réaliser des investissements ou des échanges commerciaux entre le Québec et la France; il ne venait pas ici pour savoir ce qu'on pensait de lui et pour mesurer l'étendue de sa popularité au Québec et au Canada; il ne venait pas pour se promener en mini-rail ou en mono-rail avec Jean Marchand, Jean Drapeau ou Paul Martin ou pour pratiquer le bon-ententisme avec les Anglo-Saxons ou tout simplement pour les agacer; il ne venait pas ici pour avoir la manchette dans les journaux et pour les colliger par la suite dans ses dossiers personnels; il ne venait pas, enfin, pour prendre quelques jours de vacances.

Il avait une mission à remplir, un rôle historique à jouer. "Je vais vous confier un secret que vous ne répéterez à personne. Ce soir, ici, et tout le long de ma route, je me suis trouvé dans une atmosphère de même genre que celle de la libération de Paris".

Il se devait de rencontrer le destin des Québécois, il avait un rendez-vous avec l'histoire du Québec.

Il fallait un homme de la taille et de la profondeur de Charles de Gaulle pour que toute une nation, tout un peuple se mesure à travers son être et sa personne et puisse par ce fait même retrouver sa propre dimension historique.

Par cette mystérieuse confrontation d'un homme à une nation, par son extraordinaire identification à un peuple, est née cette prise de conscience, ce désir d'affranchissement et cette volonté d'auto-détermination qui s'affirmèrent par la suite.

Cet homme qui avait libéré son peuple en 1944 et qui lui avait redonné sa souveraineté, cet homme qui avait décolonisé les peuples de l'Afrique française, cet homme-là avait un rendez-vous avec nous tous et il a été présent, ponctuel et fidèle à sa mission.

Les adolescentes ne se sont pas élancées vers lui; les photographes ne l'ont pas figé dans des documents frivoles et légers; les femmes-enfants ne lui ont pas dérobé des baisers furtifs. Non. C'est une nation qui est accourue à son passage, parce que tous les deux devaient se rencontrer, se saluer, se parler et se reconnaître.

Il s'imposait qu'un homme de sa force et de sa puissance vienne soulever cette collectivité écrasée par des siècles de peurs, de craintes, de traumatismes et surtout de trahison. De par la force de ses bras, de par la puissance de son verbe, de par l'énergie secrètement contenue dans son passé, de par le mystère même de sa personne, il a fait accéder tout un peuple à une dignité et à une grandeur nouvelle. Il venait de lever l'interdit sur notre droit à l'expression. Les réactions des anglophones et des assimilés nous révélèrent des intentions jusqu'alors bien cachées. Il venait de faire la lumière sur certaines réalités ignorées par plusieurs.

Une vision nouvelle est apparue et depuis lors une page est tournée.

Trois ans après, les anglophones et les néo-québécois, tous, en bloc, sont allés voter pour le Parti Libéral, comme des croisés, pour sauver leurs intérêts et leurs privilèges. Ils sont tous sortis de leur cache, un par un jusqu'au dernier, pour élire Bourassa, celui qu'Ottawa avait imposé, choisi et élu pour réprimer ce mouvement pourtant naturel vers l'auto-détermination.

Parce que, eux tous, ils ont compris les paroles du Président de la France; ils sont pourvus de tripes eux aussi; ils ont senti, l'espace d'un éclair, ce qui se passait et ils n'ont pas été longs à réagir. Et ce furent surtout des assimilés comme Sauvé, Marchand, Trudeau, Chrétien et Pelletier qui harcelèrent le plus fortement le gros et pauvre Pearson, pourtant intelligent, qui déclara que les paroles du Président étaient des propos inacceptables. Et le Président, de lui répondre, à lui, comme à ces ministres serviles et traîtres au destin du Québec: "Tout ce qui grouille, grenouille et scribouille n'a pas de conséquences historiques dans ces grandes circonstances pas plus qu'elles n'en eurent jamais dans d'autres. [1]

Les provinces, habituellement divisées à cause de leurs disparités régionales, s'unirent devant l'ennemi commun à abattre. Au Parlement, les journalistes anglais se tenaient ensemble à la même table, comme dans des heures de danger.

Au début, les journaux anglais s'étaient gaussés de notre enthousiasme à recevoir de Gaulle. Mais voici que tout change.

Ces messieurs perdirent, subitement, leur sang-froid, leur calme et leur retenue. Ce fut un choc brutal, un réveil subit, suivi d'un sentiment de rage, de révolte, d'un profond désir d'écraser ceux qu'ils contrôlaient depuis si longtemps.

Il se trouvait bien quelques séparatistes au Québec; cela importait peu. Mais voici que tout prend l'allure d'un cataclysme, d'une tornade qui s'abat sur leur pays et sur leurs cités bien tranquilles; jamais ils n'accepteront; jamais ils ne s'y résigneront.

* * *

---

(1) L'O.I.P.Q. a compilé les nouvelles et commentaires publiés dans les journaux: 4 cahiers, en tout, 785 pages.

De Gaulle venait de proclamer l'émancipation des Québécois; cela n'était pas inscrit dans notre constitution et ne pouvait l'être puisqu'elle est encore en Angleterre et de Gaulle n'a pas de juridiction au Palais de Westminster... Mais cette émancipation, il la proclamait du haut de l'Hôtel de Ville de Montréal et c'était beaucoup plus fort qu'un texte de loi parce que cela s'inscrivait dans le coeur des hommes et dans le cerveau de tous les Québécois.

Les Anglo-saxons ou mieux les Anglophones l'ont compris et très vite. De Gaulle était le chef d'Etat le plus prestigieux de l'Europe et des deux Amériques, il venait cautionner notre désir d'émancipation; il lui donnait un sens et cela devenait possible, réalisable; ce n'était plus l'affaire ou la chose de quelques québécois; cela pouvait devenir l'affaire de tout le monde; on ne riait plus. Le Général mettait tout le poids de son prestige et de sa puissance pour libérer ce sentiment naturel des Québécois. Ils eurent donc, ces anglophones extrémistes, fanatisés, les mêmes réflexes et les mêmes sentiments que les Sudistes eurent à l'égard de Lincoln lorsqu'il émancipa les Noirs; c'était de la haine et de la rage. Il ne leur manquait qu'un John Booth et ne souhaitaient qu'une chose... c'est qu'il se taise et qu'il reparte au plus tôt.

Et Jean Drapeau fit un discours qui plut beaucoup aux anglophones.

* * *

Les libéraux du Québec, eux, ne comprirent rien à tout cela; "L'Union Nationale va-t-elle expliquer au peuple comment elle a bâti, aux frais des citoyens, une immense machine de propagande en faveur de M. Johnson et de son parti et comment elle en a perdu le contrôle? " demandait Jean Lesage après un caucus de cinq heures qui réunissait ses députés quelques jours après.

Il affirmait que cette visite s'était soldée par un vif mécontentement de la majorité des Québécois; or une enquête, faite quelques jours après la visite, prouva le contraire et Jean Lesage dut faire par la suite en Chambre, comme nous le verrons, une volte-face ridicule. Comment ses députés en bonne partie anglophones ou élus par des comtés anglophones et très bourgeois, pouvaient-ils conseiller justement le chef de l'opposition?

Daniel Johnson tint en même temps un caucus et tous ses députés affirmèrent que "ça avait été bon partout", dans St-Henri, dans Dorchester, dans Rouyn-Noranda, dans Gaspé-Nord, dans Saint-Jean, etc...

M. Lesage parla aussi du ralentissement des investissements que cela créérait au Québec: autre mythe charrié par les Bourassa, les Neapole et les Regenstreif pendant les trois années d'administration Johnson; il rappella aussi "le regrettable sentiment anti-québécois provoqué dans le reste du Canada". Quelle indécence de la part d'un ancien chef d'une nation qui, au lieu de comprendre ce désir légitime de libération d'un peuple, justifie les sentiments de haine du dominateur! Il était temps qu'il démissionne.

De plus, il sommait l'UN de se définir: "L'UN est-elle oui ou non séparatiste"? Car c'est à cette époque que Lesage, je ne sais par quelle illumination, affirmait qu'il y avait au moins 25 séparatistes dans notre parti. Et dire qu'à l'automne 1967, Lesage et Laporte demandaient à l'UN de faire un front commun pour la lutte constitutionnelle! M. Johnson, qui connaissait les libéraux, refusa évidemment.

La presque totalité des libéraux de Jean Lesage n'ont rien compris à cette visite et à sa signification profonde; ils ont passé à côté, comme d'habitude; ils ont été en marge de l'histoire et n'ont pas saisi les battements de coeur de la nation québécoise; ils ont parlé de coût, de machine, de propagande, d'investissements, de rendement, du mécontentement etc... Ils sont tombés dans la plus basse partisanerie électorale et croyaient enfin avoir Johnson dans le détour; ils s'y sont cassé le nez. Je comprends pourquoi Daniel Johnson ne leur répondait même plus. A-t-on demandé, en France, combien avait coûté la réception faite à Jean Lesage? A-t-on demandé à Jean Lesage combien avait coûté la venue de la Reine en 1964? (1)

Jamais cette visite n'avait été conçue comme une machine à propagande pour l'UN ou pour M. Johnson. On désirait tout simplement donner un sentiment de fierté et de dignité aux Québécois. Mais voici que cela prend une ampleur, une allure, une dimension que personne n'avait prévue ni calculée. Cela avait des origines très profondes, insoupçonnées; c'était un sentiment refoulé depuis des siècles qui remontait soudainement à la surface et qui étonnait tout le monde, encore plus les organisateurs de cette visite. A un moment donné, plus personne ne la contrôlait; elle avait son mouvement naturel; cette petite chose était devenue une affaire mondiale.

M. Johnson voulait un satellite de communication, de Gaulle lui donnait davantage; il mettait tout le Québec en orbite autour du monde par sa mise à feu à l'Hôtel de Ville. Tous regardaient le spectacle, ébahis, abasourdis. Cela se pouvait-il? Tout le monde a compris ce qui se passait, excepté Lesage, Drapeau et les autres.

De Gaulle n'aurait jamais agi de cette façon avec M. Barette ou avec M. Lesage. Il savait qu'ils n'auraient rien saisi, qu'ils ne seraient pas entrés dans le jeu historique, qu'ils en étaient incapables. Il savait Johnson assez fort pour assumer un tel fardeau, une telle responsabilité. "C'est non seulement la meilleure politique

---

(1) Chose certaine, le camion-blindé de Claude Wagner a coûté plus de $60,000 et est toujours remisé à Québec.

mais la seule politique qui vaille en fin de compte. Ensemble nous avons été au fond des choses et nous en recueillons les uns les autres des leçons capitales", nous dit le Général avant de partir.

De Gaulle et Johnson étaient deux intuitifs qui se sont vite mesurés; c'étaient deux rusés qui savaient juger leurs adversaires comme leurs alliés. En agissant ainsi, de Gaulle savait ce qu'il faisait, ce qu'il laissait à son ami Johnson. C'est par réelle amitié qu'il l'a fait: l'amitié a des exigences, elle n'a pas de limites, elle ne tolère pas de complicité; si elle rapproche, elle élève aussi.

Placide et songeur, Johnson assista à tous ces événements; il vit la réaction et le comportement de la foule et il comprit plus que tout autre ce qui se passait; il possédait des antennes assez sensibles pour capter toutes les résonnances historiques de ce qui se déroulait devant lui. C'est dans le calme et la sérénité qu'il fit face à la situation, car c'est dans les moments difficiles qu'il donnait la vraie mesure de lui-même.

Daniel Johnson n'était plus un Premier Ministre; il était devenu le chef d'une nation qui voulait s'affirmer et prendre en main son destin. Il a dû méditer profondément son programme électoral: "Toute nation a un droit inaliénable à l'auto-détermination."

* * *

Le vendredi suivant, le Premier Ministre, avec l'aide de ses principaux collaborateurs, fit cette déclaration: "Le Général de Gaulle a reçu un accueil triomphant... Le gouvernement du Québec est heureux de l'avoir invité... Le Québec est libre de choisir sa destinée et possède le droit incontestable de disposer de lui-même... Le gouvernement poursuivra l'objectif fondamental qu'il s'est fixé: l'adoption d'une nouvelle constitution... Bien sûr, de telles réformes ne peuvent venir du jour au lendemain... Elles exigent beaucoup de réflexion et de nombreux échanges de vues..." Cette déclaration fut répétée en Chambre. François Aquin et René Lévesque furent les deux seuls députés de l'opposition qui applaudirent à la fin de la lecture de ce texte.

M. Robert Bourassa, lui, ne fit aucune déclaration au sujet de cette visite. Je me demande ce qu'il en pensait.

Si les députés avaient de moins en moins leur mot à dire dans le parti et dans le gouvernement, nous, les souverainistes, "les séparatistes", nous y avions de plus en plus notre place; le corridor s'élargissait de jour en jour: il avait la largeur d'une nation.

Alors que le parti libéral condamnait les propos du Général et sommait le gouvernement de rendre des comptes quant au coût de cette visite, François Aquin, député libéral, dégoûté, quittait son parti. Le jeudi 3 août, il donnait en Chambre sa démission. La veille, au caucus régulier du mercredi, M. Johnson nous avait fait cette remarque prophétique: "Ce sera là un des discours les plus importants depuis des années au Parlement; une étape nouvelle va maintenant commencer pour le Québec". Il voyait loin.

Un silence de mort régnait à l'Assemblée Législative; les 107 députés écoutèrent, les uns honteux, les autres réjouis, l'un des meilleurs discours jamais prononcé dans cette enceinte:

> "... J'ai pensé au passé et au présent, mais surtout à l'avenir, car la vérité est dans l'avenir. Dans 25 ans, dans 50 ans, alors que depuis des décennies le Québec sera devenu une patrie libre, alors que, par-delà les sociétés colonisatrices révolues, il aura tendu la main aux autres territoires libres d'Amérique, d'Asie, d'Afrique et d'Europe, alors qu'il fera le poids de la mégalopolis française sur le sol des Amériques, des hommes et des femmes viendront dans cette enceinte et ils ne seront pas intéressés par les débats partisans

que nous y avons tenus. A notre sujet, ils ne se poseront qu'une seule question: Est-ce que c'étaient des hommes libres? Vive le Québec libre..."

Vers la fin du discours, M. Bellemare se leva et circulant parmi nous, il nous chuchotta de ne pas applaudir. J'ai quand même fait une déclaration, comparant ce discours à celui d'Abraham Lincoln, à Gettysgurg.

M. Johnson aimait beaucoup François Aquin; c'étaient deux esprits qui se comprenaient et se respectaient. Autant M. Aquin était un cérébral, un cerveau bien organisé et bien structuré, autant M. Johnson était un intuitif et un imaginatif. Un jour, nous étions cinq à écouter M. Aquin: M. Johnson, M. Bousquet, M. Masse, M. Flamand et moi-même; ses collègues étaient tous occupés à leurs bureaux (peu de parlementaires comprenaient ses discours). "Que cet homme a la tête bien faite", de me souffler à l'oreille M. Johnson après l'avoir écouté attentivement.

François Aquin fut le premier député indépendant et libre à l'Assemblée Législative. L'Histoire retiendra son nom.

* * *

Cette première session se termina par une volte-face du Premier Ministre au sujet du projet no. 67, loi devant modifier la charte de la CECM.

Ce projet avait pour but de porter de 7 à 9 le nombre des membres de la CECM; le président et le vice-président seraient désignés par le gouvernement et seraient à plein temps; leur terme expirerait le 1er juillet 1972.

Pour la seule et unique fois pendant cette session et je dirais pendant les quatre années de leur opposition, les libéraux firent front commun, unis et déterminés à ne pas laisser passer cette "loi inique, anti-démocratique, dans le style du plus pur Duplessisme". Il y eut de l'extérieur des protestations venant de toute part et de plusieurs corps intermédiaires; les libéraux se sentaient appuyés sans quoi ils n'auraient pas lutté avec autant d'acharnement.

"C'est une couleuvre qu'on veut faire avaler; c'est la mainmise absolue du gouvernement sur un budget de $130 millions... On ne laissera jamais passer un sapin de cette grosseur-là... Toute l'affaire a été cuisinée depuis longtemps... C'est pour faire du patronage à Montréal... Le gouvernement veut nommer ses créatures pour administrer un budget de 130 millions... geste odieux... geste méprisant, geste d'autocratisme... Le gouvernement pousse le cynisme à un point vraiment inacceptable... Dictature, mainmise absolue, totale, directe... véritable hold-up et mépris du Parlement..." Il faudrait citer les 134 pages du Journal des Débats couvrant ces délibérations, allant du lundi 17 juillet au mardi matin à 7 heures; les débats avaient commencé la veille à 3 heures. Le Président décida de lui-même (je pense) de suspendre la plus longue séance que je connus pendant mes quatre années au Parlement.

Jamais ces bons libéraux n'auraient laissé passer une loi qui leur apparaissait tellement odieuse, tellement ignoble. Jamais, eux les élus du peuple, n'auraient permis à l'Union Nationale de faire du patronage, de contrôler cette commission scolaire. Jamais: "Nous nous battrons jusqu'au bout", disait Pierre Laporte, fier et conquérant. Jamais ils ne laisseraient ce parti infect (selon eux) se permettre de favoriser leurs petits amis; ils se battraient jusqu'au pied du bûcher, ils étaient même prêts à y monter pour empêcher le contrôle de l'Union Nationale sur la CECM. Quel sens démocratique! Quel sens du devoir! Qu'ont-ils fait, eux tous, dans l'affaire du projet no. 85 et du projet no. 63? Où étaient-ils donc ces grands défenseurs du bien public? Qu'ils les comprenaient donc tous ces problèmes de piastres et de patronage! Quels tartuffes! [1]

Plus le débat avançait, plus le gouvernement était seul et plus les adversaires du projet se multipliaient; M. Johnson tint caucus sur caucus et se sentant de moins en moins appuyé il se cherchait un moyen de le passer ou de le retirer élégamment. La chance lui sourit.

Le vendredi 11 août, une enquête révélait que la grande majorité des Québécois avaient accordé un accueil favorable aux propos du Général et cela à la grandeur du Québec, mais les libéraux n'avaient qu'une question à la bouche: "Combien coûtait au gouvernement cette fameuse visite? "

M. Johnson nous réunit à un caucus, le samedi, 12 août, quelques minutes avant la session et nous annonça qu'il avait décidé de retirer son projet no. 67. "Quand on va à la guerre et qu'on est seul, sans allié, il vaut mieux lâcher", nous avait-il dit quelque peu humilié; il nous annonça aussi que la session prendrait fin par le fait même et qu'il y aurait une petite surprise pour Jean Lesage.

La Chambre s'ouvrit à 3 heures et M. Bertrand, parrain du projet, annonce le retrait du gouvernement au sujet de cette fameuse restructuration de la CECM. Grande victoire des libéraux et M. Gérin-Lajoie de féliciter le gouvernement et le ministre de cette heureuse initiative. Aussitôt, M. Johnson se lève et dit: "Avec la permission de la Chambre, j'aurais aimé faire une motion, mais si on ne m'accorde pas un consentement unanime, je ne pourrai pas la faire, cette motion aurait consisté à remercier le général de Gaulle pour sa venue au Québec et à blâmer l'attitude du gouvernement fédéral à son endroit..."

---

(1) En août 70, ils ont forcé le commissaire Pierre Carignan à démissionner.

M. Laporte glisse un mot à l'oreille de M. Lesage qui se lève aussitôt et appuie la motion de M. Johnson: "Je désire joindre ma voix et je suis certain, celle de mes collègues, à celle du Premier Ministre pour exprimer notre gratitude au Général de Gaulle... Nous lui en sommes profondément reconnaissants..." Et Denis Bousquet, ironique, de dire: "Est-ce qu'il est rendu séparatiste? "

Le lendemain, les journaux publiaient en manchette: "Volte-face de Jean Lesage", avec sous-titre: "Grandeur et décadence d'un homme public".

M. Johnson, grand stratège, excellait dans ce genre de diversion. En attirant l'attention de M. Laporte sur la visite du Général, il lui faisait oublier son recul sur le bill 67. M. Laporte croyant que M. Johnson lui tendait un hameçon sur un sujet aussi controversé que celui de la visite du Général s'empressa de faire dire à Lesage qu'il était d'accord pour le vote de félicitation à de Gaulle. S'il refusait, cela jetait l'odieux sur l'opposition, la population s'étant prononcée en faveur du Président français. M. Laporte dut se croire bien habile d'accepter mais d'une façon ou d'une autre il était perdant. S'il refusait, il passait pour mesquin; s'il acceptait, on traitait l'opposition de vire-capot étant donné qu'auparavant elle avait pris une position contraire. Monsieur Johnson dut bien s'amuser car là n'était pas le piège, ce n'était qu'une mesure de diversion. Le point c'était de faire passer inaperçu son recul sur le bill 67; il y réussit tant et si bien que les journalistes ne s'attardèrent que sur la volte-face de Lesage, prêtant peu d'attention au recul de M. Johnson au sujet du bill 67.

Cette session longue, interminable, épuisante pour tous, se terminait en plein milieu du mois d'août. Deux ans plus tard, en pleine tension lors de l'affaire du projet no. 63, je demandais à quelques députés quel était le numéro et le sujet de ce fameux projet que M. Johnson avait dû retirer en août 1967: plus personne ne s'en souvenait: tout s'efface et tout s'oublie, mais tel ne fut pas le cas pour cette fameuse visite du mois de juillet 1967.

4 *Daniel Johnson*

Après l'Expo, les Rois, les Princesses et les Présidents étant partis, il nous fallait revenir à la vie de tous les jours.

Cette année, extrêmement dure pour tout le monde, se solda pour M. Johnson par une crise cardiaque, sa deuxième. Le 12 septembre 1967, il dut annuler tous ses rendez-vous et quitter le sol québécois pour un repos d'un mois; M. Dozois assuma alors les responsabilités de Premier Ministre intérimaire.

En septembre, M. Stanfield fut élu chef du Parti Conservateur. Plusieurs d'entre nous avaient opté pour Duff Roblin parce qu'il semblait se montrer plus compréhensif à l'égard des problèmes du Québec; ce fut là, je crois, une des causes de sa défaite. M. Trudeau, alors ministre de la Justice, se montrait un peu partout et condamnait avec force arguments le nationalisme, ce nationalisme qui favorise, disait-il, les bourgeois [1]; il parlait à l'Université de Montréal, au Canadian Club, préparant très habilement sa candidature; il cherchait l'appui des anglophones et de l'Establishment, celui de M. Pearson lui étant déjà acquis. Selon lui, il importait davantage de doter le Canada d'une charte des Droits de l'homme que de réformer la constitution; et les Anglais

(1) Et à qui donc profite le fédéralisme, au Québec?

trouvaient que ce jeune ministre parlait sensément: ils se sentaient enfin compris.

A cette époque, Jean Marchand atteignait le sommet de sa gloire et de sa trajectoire fédérale; on s'étonnait même de sa montée vertigineuse et plusieurs voyaient en lui le futur candidat à la direction de son parti.

Le lundi 18 septembre demeurera une date importante pour ceux qui écriront l'histoire du Québec; René Lévesque présentait sa thèse nouvelle, celle d'un Québec souverain dans une union canadienne renouvelée; c'était un document de 35 pages qu'il remettait à la presse et dans lequel étaient contenus les principaux éléments de sa position constitutionnelle. Plusieurs libéraux l'acceptaient, d'autres la rejettaient en bloc; J.-N. Tremblay l'accusa de faire du vol à l'étalage. M. Lévesque, disait-il, reprenait les mêmes idées qu'il défendait, lui, depuis longtemps. A qui la faute, si personne ne s'intéressait à la marchandise du ministre de la Culture?

M. Wagner et Kierans jurèrent, foi de libéral, que si ces thèses étaient acceptées par la fédération libérale, ils quitteraient tout de suite le parti. M. Lévesque démissionna [1] le mois suivant afin de pouvoir se consacrer à la libération des siens. Kierans et Lesage, en petits politiciens, se félicitaient de ce départ qui devenait "de moins en moins une perte", selon l'expression même de Lesage. La démission de Wagner, qui surviendra plus tard, sera motivée par le dépit et l'intérêt personnel: il accepta une magistrature offerte par M. Bertrand. Kierans, lui, laissera tomber Jean Lesage pour présenter sa candidature à la direction du parti

---

(1) Il fut remplacé par Arthur Séguin, qui de libéral indépendant devint libéral tout court: cela prend beaucoup de "fortitude intestinale" pour opérer un tel revirement.

fédéral et Jean Lesage démissionnera après avoir reçu quelques coups de poignard bien placés. [1]

M. Johnson, dans un caucus ultérieur, nous avait déclaré: "Il ne faut pas sous-estimer Lévesque et ses positions; ses thèses se tiennent et il pourrait aller loin". Daniel Johnson prévoyait la venue de Lévesque comme chef de parti. Fait aussi intéressant à noter, le 28 septembre, Robert Bourassa, dans un discours au Club Kiwanis Saint-Laurent, défendait les thèses de M. Lévesque et les considérait comme possibles, réalisables et pratiques. A cette époque, M. Lévesque et M. Bourassa travaillaient en étroite collaboration. L'un a choisi d'être premier ministre en 70 à la suite du conseil de M. Lesage, sans doute, tandis que l'autre a choisi de libérer son peuple. Il en faut pour liquider les meubles et ce qui restera de cette Confédération, laquelle a sûrement certains biens à nous laisser à part les dettes. Cela prend un bon comptable comme Bourassa pour opérer la dernière liquidation. Humble, timide et discret, il a choisi cette oeuvre de bénédictin; il a toute mon admiration et tout mon respect. Devenu vieux, il ne dira pas: "Moi, j'ai été le plus jeune premier ministre de la province de Québec", mais bien: "J'ai été le dernier du Québec dans la Confédération". C'est un autre Louis XVI ou un autre Nicolas II qui s'ignore. Robert Bourassa aurait pu travailler à l'indépendance du Québec; non, il a préféré devenir un directeur de bureau de placement à la recherche de 100,000 emplois inexistants. C'est là le mystère d'un homme et de toute une vie qu'il me faut respecter.

---

(1) Par J.P. Lefebvre, qui frappait juste et bien. Il refusa de se présenter en avril 70. Actuellement il travaille pour l'organisation libérale fédérale.

Je rencontrais souvent Robert Bourassa au Café du Parlement pendant cette période; il semblait hésitant et angoissé: "Je suis tiraillé de toute part; des proches me conseillent de suivre Lévesque; d'autres, de rester dans le parti; je suis fatigué de tous ces tiraillements", me répondit-il quand je lui demandais ce qu'il ferait devant tous ces événements qui se précipitaient.

Un jour, il eut à faire un choix comme chacun d'entre nous dans sa vie. Il s'est naturellement dirigé vers le Pouvoir, il opta pour la facilité et il ira de compromissions en compromissions: le terrorisme économique, les 100,000 emplois, l'affaire de la Brink's, la peur, etc... et surtout la sujétion à Trudeau; il votera pour le bill 63 comme si de rien n'était en deuxième lecture et sera absent en troisième. On le trahira, lui aussi, quand il ne sera plus rentable pour son parti et pour l'Establishment; on le laissera tomber comme les Anglais et les Italiens l'ont fait pour Bertrand après qu'il leur eut donné le bill 63 sur un plateau d'argent.

* * *

A Hawaï, M. Johnson était soumis à de dures pressions de la part des financiers. Il était acculé au mur. Il lui fallait emprunter et les derniers événements avaient dû en indisposer plusieurs; il se devait de composer, de toujours composer. Et c'est sans doute à la suite de pressions de cette nature et de multiples attaques au sujet de la fuite des investissements [1], que M. Johnson fit entrer dans son cabinet MM. Faribault et Cardinal, tous deux, hommes d'affaires qui occupaient des postes de haut prestige. De réputation fédéraliste, M. Faribault saurait redorer l'image du parti à trop grande saveur nationaliste pour nos adversaires naturels. Sa nomination avait pour but de rassurer les gens de la haute finance.

---

(1) Si elle eut jamais lieu cette fameuse fuite de capitaux, il faudrait l'imputer à la propagande de peur libérale.

Nous rencontrions souvent M. Faribault dans les couloirs du Parlement; il ne parlait à personne et souriait peu; il n'avait rien d'un politicien. Etre directeur de plusieurs compagnies et être membre ou conseiller d'un cabinet, ce n'est pas du tout pareil. Il se présenta à l'élection fédérale en juin 68 et perdit son dépôt. On ne le revit plus à Québec.

Nous eûmes l'occasion de rencontrer Jean-Guy Cardinal pour la première fois au caucus de l'Union Nationale à Saint-Jean, chez les Jésuites. Il sut s'intégrer rapidement au parti et tous l'acceptèrent d'emblée [(1)], surtout M. Bertrand, surchargé qu'il était par ses deux ministères, celui de l'Education et celui de la Justice. Au début, les relations entre M. Bertrand et M. Cardinal semblaient excellentes. Personne ne pouvait prévoir l'avenir.

Lors de ce remaniement ministériel, M. Beaudry et M. Lussier héritèrent chacun d'un ministère. Mais avec l'entrée fracassante de Cardinal et de Faribault, ces nominations passèrent quelque peu inaperçues. Leurs débuts furent modestes, mais ils devinrent bientôt des titulaires des plus sérieux et des plus productifs. Je garde de ces deux ministres un excellent souvenir; les ministres les plus colorés, les plus bavards, ou les mieux vêtus... ne sont pas toujours les plus efficaces. Au contraire.

Ce remaniement n'eut pas l'heur de plaire à tous ceux qui rêvaient de devenir ministres ou adjoints parlementaires, surtout à ceux-là qui, élus depuis 62, ou candidats défaits de 62 puis élus en 66, ou militants depuis 20 ans, croyaient que l'ancienneté leur conférait de la compétence. Plusieurs rouspétèrent pendant longtemps; d'autres contestèrent ces nominations par des déclarations publiques; quelques uns s'absentèrent du caucus de Saint-Jean

(1) A quelques exceptions près...

pour manifester leur mécontentement. Un ou deux parlaient même de démissionner, ce qui n'est jamais arrivé (et n'arrivera jamais). Toujours bon conciliateur et bon diplomate, M. Johnson disait que c'était là seulement une partie de son remaniement et que d'ici quelques temps il y aurait d'autres nominations (le temps était un autre allié de M. Johnson). Et tous les députés, de revivre d'espoirs et d'attente. "Il y a tellement de gars de talent dans mon parti", répétait constamment le Premier Ministre; il le répétait tellement souvent que plusieurs s'étaient mis à le croire. Il nous a répété cette dernière phrase à la toute fin de son ultime caucus, le 24 septembre 1968; il cherchait sans cesse à revaloriser ses députés.

* * *

Tandis qu'avait lieu le caucus de l'Union Nationale à Saint-Jean, les 16, 17 et 18 novembre, chez les Jésuites, se tenait en même temps, chez les Dominicains, une réunion de près de 250 personnes où M. Lévesque jetait les bases du Mouvement Souveraineté-Association. "Tôt ou tard, cela deviendra un parti politique", disait M. Lévesque à l'issue de ce congrès.

En décembre, les libéraux avaient le leur chez les Soeurs Grises où l'on nomma Robert Bourassa président de la commission politique du Parti Libéral; il avait opté pour le pouvoir et il faisait son petit bonhomme de chemin. M. Laporte et M. Wagner le voyaient-ils venir?

* * *

M. Johnson nous avait réuni à ce caucus pour se préparer à la prochaine conférence de Toronto qui surviendrait à la fin du mois. Malheureusement, les députés y discutèrent surtout de patronage, de "garnotte", de la façon de placer les amis au gouvernement et de réformes protocolaires. Quelques-uns voulaient transformer complètement le cérémonial d'ouverture de la session, le discours du trône devenant le discours sur l'état de la nation que le Premier Ministre lui-même lirait; il s'agissait de revaloriser le rôle du chef réel de l'Etat et de réduire celui du lieutenant-gouverneur; on proposa des réformettes qui furent en partie appliquées. De plus, chaque ministre expliqua ses politiques et les lois qu'il devait déposer. M. Johnson profita aussi de l'occasion pour calmer les mécontents qui n'avaient pas été nommés à des postes. C'est tout ce que retira le Premier Ministre de ce caucus avant d'aller à la Ville-Reine.

* * *

M. Johnson partait pour Toronto en homme déchiré et violenté. Il était pris entre deux mondes, entre deux forces, le Québec et le Canada; entre deux systèmes, entre deux blocs: c'était d'une part le bloc confédératif et d'autre part, le bloc nationaliste. Il se devait d'être ambivalent parce qu'il se savait homme de transition. L'égalité, il l'obtiendrait par étapes, progressivement. L'indépendance? Il se devait même de taire ce mot parce qu'il effarouchait trop de gens; il se souvenait de l'effet-choc qu'avait produit les paroles du Général.

Au Québec les Lesage, les Bourassa, les Kierans, les Neapole, les Regenstreif se livraient à un odieux chantage économique, d'autant plus odieux qu'il venait de Québécois. Coincé entre ce bas chantage de petits politiciens et celui de l'Establishment qui voulait lui couper les vivres, Johnson se devait par ailleurs de faire patienter les nationalistes de plus en plus nombreux parce qu'ils représentaient les vrais intérêts de la nation québécoise.

Là-bas, à Toronto, il lui fallait donc ménager ses arrières. Chaque parole, chaque geste pouvait indisposer ou ses amis nationalistes ou ses ennemis fédéralistes; il se trouvait dans une situation intolérable, d'une ambiguité consommée.

M. Johnson avait vingt ans d'expérience politique; il connaissait bien les libéraux et savait jusqu'où ils pouvaient aller; il lui était facile d'imaginer sur quoi ils axeraient leur prochaine campagne électorale. Et en Chambre, il ne pouvait supporter les attaques de Kierans et de Bourassa toujours empreintes de cette démagogie de troisième classe qui l'exaspérait (1); ces deux "économistes" étaient devenus les instruments, inconscients ou non, de ce petit groupe qui refusait la libération des Québécois. M. Johnson ne pouvait absolument pas supporter Bourassa parce qu'il le connaissait et savait de quoi il était capable. Un jour, j'avais approché le Premier Ministre derrière le fauteuil du Président pour lui glisser un mot; il me dit, indisposé: "Laissez-moi donc écouter ce que dit Bourassa, il faut que je lui réponde tout à l'heure". Il les voyait tous jouer avec cette propagande de peur, avec cette prétendue fuite de capitaux; cela nuisait au Québec et indisposait visiblement le Premier Ministre.

Il était pris entre Lesage et sa clique fédérale, l'impatience des nationalistes et le peuple qui n'était nullement prêt à faire l'indépendance; nous étions alors à la fin de 67 et l'odieux projet de loi 63 n'avait pas encore réveillé la population; le Chemin du Roy, la visite du Général, les petits drapeaux, tout cela avait

---

(1) Cette démagogie préfigurait singulièrement la campagne qu'ils feraient en 70; ils ont fait peur aux électeurs en 70, comme à cette époque, ils apeuraient les investisseurs.

préparé le peuple, mais pas suffisamment encore. M. Johnson était un homme lucide.

Il lui fallait donc ruser, ruser constamment, ruser toujours. Avec les Pharisiens, on ruse, c'est là une des lois de la vie; ceux-ci ne comprenaient rien et ne voulaient rien comprendre; c'étaient des aveugles qui ne cherchaient qu'à tendre des pièges sur des points de loi et sur son interprétation. M. Johnson possédait cette force extraordinaire: la ruse, la seule arme que lui ait jamais fourni le destin et il s'en servait étonnamment bien. Faible et malade (il venait de subir une deuxième crise cardiaque), il devait se battre avec les moyens du bord. Il était seul pour défendre sa nation qu'il voulait grande et épanouie.

Il déployait la ruse de ces grands juristes juifs qui depuis plus de deux mille ans ont appris à contourner les lois pour survivre. Depuis l'antiquité, avant même les Pharaons, on décrétait contre les Juifs des lois iniques qui leur refusaient le droit à la plus élémentaire décence. On les excluait de toute profession et de toute activité normale; on les rejetait dans des ghettos; on leur enlevait même toute citoyenneté. Ils furent alors contraints de déjouer les lois parce qu'elles étaient faites contre eux; le grand défi de leur existence consistait à passer outre à ces lois pour survivre. C'était pour eux une question de vie ou de mort. De tout temps on tenta contre eux un génocide juridique. Tout au long de leur histoire, ils essayèrent de ruser sur l'interprétation de ces lois injustes et discriminatoires afin de parvenir à se donner un statut légal et juridique. Les Juifs ont développé ce légalisme parce que c'était là la condition essentielle de leur survie: ils sont devenus des virtuoses du juridisme par pur instinct de conservation.

Daniel Johnson se trouvait dans une situation identique; son peuple subissait un génocide qui durait depuis deux siècles; c'en était un d'étouffement et d'assimilation, un génocide lent mais sûr; tout cela, il le voyait très bien. C'était tout le système qui était contre nous, tous les cadres juridiques, toutes les structures constitutionnelles. Les Anglais avaient chez nous tous les droits tandis que les nôtres étaient bafoués. Le Québec était devenu un ghetto où la nation dépérissait peu à peu. La Confédération se faisait l'instrument de notre mort collective.

Johnson, en bon juriste, devant ces Anglo-saxons qui ne juraient que par la loi, se devait d'établir son champ de bataille sur le plan constitutionnel, sur le plan confédératif. Lucide et rusé, il entendait s'attaquer aux Anglais sur leur propre terrain car c'est là, croyait-il, qu'il pourrait les vaincre. Il avait décidé de se servir de la Confédération, de l'arme même de l'adversaire et de la tourner contre eux.

Johnson connaissait bien les Anglais, il savait à qui il avait affaire; il croyait que jamais ils n'accepteraient l'idée de l'indépendance; il voulait donc gagner du temps. Cela devenait pour lui une guerre d'usure, une guérilla constitutionnelle. Il ouvrait en même temps le Québec à la francophonie, il créait un ministère des Affaires Intergouvernementales; il installait des maisons du Québec dans plusieurs pays; il préparait un satellite "français" avec la collaboration de la France; il créait la Société d'Habitation du Québec; il s'entourait enfin de collaborateurs très sensibilisés à ces questions. La présence de M. Faribault à Toronto comme conseiller se devait de calmer les inquiétudes de ses adversaires apeurés par notre nationalisme. Il préparait peu à peu l'égalité sans effaroucher les autres provinces ni Ottawa. Il connaissait trop bien l'arme juridique des Anglo-saxons, il s'imposait de leur laisser croire que ce serait selon leur loi et leur bon vouloir que des changements s'opéreraient; il la ferait l'indépendance dans leur contexte à eux sans que personne ne la voit venir, sans même qu'on mentionne son nom. Il fallait la préparer en douce.

Johnson savait qu'à ce moment-là, le peuple, conditionné par la propagande de peur libérale, ne s'était pas encore apprivoisé à l'idée de l'indépendance. Il n'avait qu'un moteur qui puisait toute son énergie et sa puissance au coeur même de la nation. Tout son être politique ne s'explique que dans ce sens-là; il a accepté froidement le front que l'histoire et le destin et son passé et ses talents lui imposaient; il ne pouvait y en avoir d'autres pour lui à ce moment bien précis. Il avait décidé d'engager le combat à l'intérieur du ghetto confédératif afin de pouvoir ensuite par un mouvement inattendu opérer une sortie en douce.

* * *

Comme les Juifs qui de tous temps ont lutté pour sortir de leurs ghettos infects, Johnson désirait lui aussi nous sortir de ce ghetto où l'Acte de l'Amérique du Nord Britannique nous avait enfermés. Parce que les vrais séparatistes, ce sont en fait les Anglais. Ce sont eux qui ont fomenté le complot confédératif; ce sont eux qui ont limité l'usage du français au Québec; ce sont eux qui nous ont séparés et éloignés des postes supérieurs dans l'armée, dans les ambassades, dans les directorats des grosses compagnies; ce sont eux qui ont séparé Montréal en deux secteurs bien distincts, cela avec la complicité de l'élite canadienne-française; ce sont eux qui ont élevé cette clôture autour de Ville Mont-Royal; ce sont eux qui ont parqué les Indiens dans leurs réserves, leur enlevant même leur droit de vote; ce sont eux qui bloquaient notre participation aux conférences sur la francophonie, nous refusant cet oxygène indispensable à notre vie collective dont parlait Johnson; ce sont eux qui nous ont séparés de la prospérité québécoise puisque chez-nous nous sommes au 14e rang dans l'échelle des revenus; ce sont eux qui ont éloigné le peuple des clubs de chasse et de pêche pour les accorder à une petite "élite" canadienne et étrangère; et l'on n'en finirait plus avec cette longue liste de ghettos imposés par les vrais séparatistes, par tous ceux-là qui perpétuent cet état, cette situation étouffante pour la nation québécoise; la volonté de Daniel Johnson était de nous sortir de cette enclave pour nous ouvrir au monde.

* * *

M. Johnson revenait optimiste de Toronto. "J'ai fait un pari sur un Canada nouveau", disait-il. Ce Canada nouveau, c'était la thèse de M. Lévesque à une nuance près. C'était, en quelque sorte, réaliser l'indépendance en passant par le système confédératif. C'est-à-dire, obtenir les mêmes droits souverains avec la récupération totale des impôts ainsi que la reconnaissance d'un territoire national (tout le programme de l'Union Nationale de 1966), mais tout cela avec la bénédiction du Canada. Le défi était de taille. Tout de même, si M. Johnson avait réussi, c'est le cas de le dire, le Canada se serait fait passer un beau Québec.

Avec M. Pearson, M. Johnson aurait pu parvenir à ses fins avec le résultat que l'indépendance se serait réalisée par étape, donc à plus longue échéance, ce qui selon l'optique de M. Johnson semblait préférable. Car, croyait-il, cela aurait permis au peuple de se familiariser progressivement avec l'idée de l'indépendance en plus d'empêcher l'odieux chantage de la haute finance et des libéraux qui risquaient de tout compromettre.

Mais plus tard avec M. Trudeau, M. Johnson dut se rendre à l'évidence; son intransigeance ne pourrait que précipiter les événements. Mais à quelles conditions?

Pour l'instant, M. Pearson était toujours là, M. Johnson se devait de gagner du temps. Il avait choisi le front de l'Ouest, celui d'Ottawa, alors que les autres, les indépendantistes, combattaient sur le Front de l'Est, à Québec et à Québec uniquement. Ils y travaillaient déjà depuis longtemps et ils avançaient. Mais, ensemble, ils oeuvraient tous pour la même cause, avec le même idéal.

* * *

René Lévesque préparait sérieusement, solidement, cet autre front qui s'affirmait de jour en jour et cela aidait indirectement la cause de Johnson.

Se tenaient en même temps les Etats-Généraux qui eurent une influence considérable: ils rejetaient en bloc le fédéralisme et réclamaient pour le Québec les pleins pouvoirs pour se réaliser, et cela dans toutes les sphères de ses activités propres; en même temps, à l'Elysée, de Gaulle interpréta enfin lui-même ses propos historiques: "Que le Québec soit libre, c'est en effet ce dont il s'agit. Au point où en sont les choses, la situation irréversible qui a été démontrée et accélérée..." Cela eut encore l'effet d'une bombe; et M. Pearson de répéter: "Propos intolérables"; et Daniel Johnson de garder son sang-froid. Son illustre allié l'aidait toujours, même si ce n'était pas pour lui de la façon souhaitée, et au moment désiré.

"Ne nous forcez pas à faire l'indépendance", répétait-il à Toronto. "Il vous faut céder les pouvoirs que le Québec exige... Je ne serai pas responsable du bris de la Confédération; nous resterons à condition que le Québec ait sa place et toute sa place".

Avec Pearson, il pouvait avancer et marquer des points. Avec Trudeau? Il aurait changé de stratégie, il aurait fait front commun avec les autres comme il faudra le faire en 1974. (Il faudra cesser de se diviser en quatre partis; il ne faudra plus qu'on nous répète ce sale tour qu'on nous a joué en 70).

* * *

Johnson connaissait bien son peuple; il se souvenait à quel point il avait été laborieux de faire passer le projet de loi no. 21; six mois de patience et de souplesse, et cette chose était pourtant secondaire dans l'histoire d'un peuple; il avait dû lutter contre des arriérés comme Emilien Lafrance ou contre certains opportunistes qui à l'occasion de ce projet de loi invoquaient l'enseignement de l'Eglise, les Encycliques de Paul VI et les textes des évêques. Comment donc aurait-il pu faire passer seulement l'idée de l'indépendance?

Du haut de son promontoire du Parlement, tel un aigle, il voyait en bas ses lieutenants qui ne pensaient qu'aux promotions, au patronnage, à la "garnotte" (1); il voyait les libéraux du Québec qui s'exerçaient déjà dans le chantage et le terrorisme économique et ceux d'Ottawa qui ne voulaient rien entendre; il se voyait avec les premiers ministres des autres provinces préoccupés uniquement d'une meilleure répartition du gâteau fiscal et qui en se déclarant satisfaits de la constitution entendaient faire taire le Québec et ses perpétuelles revendications.

Et il se devait de ne rien briser, de ne rien brusquer, de laisser espérer tout le monde et de se maintenir en place. Il avait le plus grand respect pour les indépendantistes, pour tous ceux-là qui portaient ces oeillères indispensables de l'idéalisme non encore éprouvé par l'expérience, cette expérience qui si souvent freine l'action et parfois dessert plus qu'elle ne sert. Il admirait tous ceux-là qui combattaient pour le Québec sur un autre Front que le sien.

* * *

---

(1) Pas tous évidemment, une partie seulement.

Pour moi, Daniel Johnson fit la preuve qu'il n'y a rien à espérer de cette Confédération; la Question québécoise, il l'a posée; sa cause, il l'a défendue brillamment, fermement et jamais le Québec ne trouvera meilleur avocat pour expliquer, exposer et défendre ses intérêts. Durant trois ans, à tous les niveaux, à toutes les occasions, il a revendiqué nos droits en épuisant tous les moyens pour négocier à l'intérieur de la Confédération; il représentait l'ultime tentative de solution dans ce système confédératif et ce fut peine perdue: *on ne bougea pas d'un pouce.* Il a joué à fond le jeu confédératif. Le test, il a été fait par un expert en la matière; il ne reste plus qu'à tirer les conclusions qui s'imposent.

Daniel Johnson a parié et bien qu'il fût le meilleur joueur que le Québec ait jamais eu de tout temps, il a perdu. Le test du fédéralisme, pour moi, c'est bien fini; la page est tournée; on a perdu assez de notre temps, de nos énergies et de notre argent dans ces conférences inutiles. Il faut aller ailleurs parce qu'il n'y a plus de solution possible du côté d'Ottawa. Je ne veux plus jouer sur un cheval perdant et l'on n'a pas le droit de laisser espérer inutilement tout un peuple.

* * *

Qu'espère donc Robert Bourassa? Il veut répéter le test de la Confédération. Quelle farce! Y croit-il vraiment? Il ne va pas à la cheville de Daniel Johnson, il n'a ni son brio, ni son génie politique, ni sa force morale surtout, et il se croit capable de réussir là où le premier a échoué.

En attendant la souveraineté, il n'a qu'à chercher des investissements, s'il en est capable et rien ne sera perdu; le Québec nouveau n'en sera que plus prospère. Quant à tout ce qu'il pourrait siphoner du fédéral, ce ne peut être qu'une partie de tout ce qui nous revient de droit.

* * *

M. Bertrand, lui, a rendu les armes et ne s'est point battu; il a hissé un petit drapeau avec cette inscription: bill 63. La guerre a cessé totalement sur ce Front. Et M. Trudeau n'a jamais tant fait de ski nautique ou de ski tout court depuis ce temps-là. Et plus encore, depuis que Robert Bourassa l'a remplacé. "Everything is O.K. on the Eastern Front", doit-il se dire.

A la longue, je crois que M. Johnson aurait réussi un coup d'Etat pacifique, comme il l'avait réalisé le 5 juin 1966; l'Histoire en a décidé autrement.

* * *

L'année se terminait par une autre conférence fédérale, manquée elle aussi, sur les problèmes de l'habitation. François Aquin se ralliait à René Lévesque renforçant ainsi le Front de l'Est.

M. Pearson démissionnait le 14 décembre. M. Johnson perdait l'interlocuteur le plus apte à comprendre les conséquences possibles d'un raidissement de la part du gouvernement fédéral et par conséquent le plus susceptible de servir l'objectif québécois. M. Pearson sentait que la situation était explosive au Québec mais il ne voulait pas y faire face; il renvoya tout le problème à une commission d'enquête, histoire de nous endormir encore. Comme s'il était possible à des commissaires de sauver la nation à coup d'enquêtes royales. M. Pearson n'eut pas le courage ni la force morale de résoudre le problème québécois; il préféra refiler la responsabilité à quelqu'un d'autre.

* * *

L'année 68 s'annonçait déjà chargée d'événements qui changeraient tout le jeu de la politique canadienne et québécoise.

La lutte pour la chefferie libérale s'avérait passionnante; Kierans, toujours imprudent et inconséquent, annonçait l'un des premiers sa candidature (le 10 janvier), [1] puis ce furent celles de Hellyer, Turner, Winter, Martin et cela jusqu'au onzième. Trudeau préparait finement et depuis longtemps sa candidature. Il se fit nommer adjoint parlementaire de Pearson; il venait de publier un livre sur le fédéralisme. Il accéda rapidement au poste de ministre de la Justice et reçut enfin, de M. Pearson, la délicate mission de préparer la conférence fédérale-provinciale, pour le début de février. Cela lui permit de faire la tournée des provinces et de sentir ce qui était bon et de préparer son jeu pour cette conférence où il était au premier plan de la discussion.

Pendant un mois, Trudeau et Marchand jouèrent à cache-cache; tantôt l'un, tantôt l'autre devait se présenter, chacun mesurant ses chances personnelles de l'emporter. Si Trudeau manquait son coup à la conférence, Marchand emboîterait le pas. C'était amusant de les voir tous les deux se frayer un chemin dans ce panier de crabes canadien. Leur vanité personnelle ne leur permettait pas de supporter une défaite; ils semblaient jouer le tout pour le tout, mais c'étaient des risques calculés.

Les amateurs de politique suivaient la conférence avec intérêt; pour Pearson, c'était une conférence historique parce qu'il y terminait sa carrière "diplomatique".

* * *

Il y terminait sa carrière mais avant de partir, il joua contre le Québec le dernier acte de ce fameux "fair-play" anglais. Sachant que la Confédération était sur le point de se disloquer, il passa la manoeuvre gouvernementale à l'ambitieux Trudeau prêt

(1) Au premier tour de scrutin, il fut bon dernier.

à toutes les compromissions pour devenir Premier Ministre. Tout en ayant l'air de lui remettre élégamment les rênes du pouvoir, il lui donnait en fait cyniquement une corde pour se pendre. M. Pearson ne tenait pas à ce que le Canada anglais lui impute l'odieux du bris confédératif. Il n'était pas intéressé à ce que l'histoire canadienne-anglaise associe cette défaite à son règne et à son nom. Aussi se désigna-t-il vite un remplaçant. La vaniteuse et inconséquente ambition de Trudeau le servait à merveille. De plus, il ne déplaisait pas au Canada-anglais d'humilier une fois encore le Canada-français en lui jetant entre les pattes comme le dernier cadeau de la Confédération le plus illustre de la lignée de ses transfuges.

Pour Johnson, la conférence d'Ottawa était l'ultime occasion d'affirmer les aspirations et les demandes du Québec; il demandait qu'on accepte l'idée d'un Canada à deux si l'on voulait maintenir un Canada à dix. C'était la dernière tentative du Québec d'obtenir sa place dans un Canada renouvelé.

Trudeau avait choisi de servir ses intérêts propres et comme ses intérêts rejoignaient ceux des Anglo-saxons, il s'imposait pour lui de devenir le grand défenseur de leur cause; pour ce faire, il lui fallait un prétexte. En effet, comment pouvait-il refuser aux Canadiens-français le droit d'appartenir à une nation sans se faire dénoncer comme traître. Alors lui vint cette idée de génie, celle de se déclarer fédéraliste centralisateur et au nom de ce nouveau fédéralisme, s'inventer une belle petite doctrine toute axée sur la nécessité de centraliser et le tour était joué; il pouvait tout imputer aux exigences de sa nouvelle conviction.

Pour décrocher le poste de Premier Ministre, il se devait de se mettre en orbite. La conférence d'Ottawa allait lui servir de rampe de lancement. Elle devenait la plate-forme idéale pour affirmer ses thèses nouvelles et surtout les affronter à celles du Québec, représenté par Daniel Johnson.

On comprend pourquoi les réformes constitutionnelles étaient secondaires pour Trudeau, sans importance; là n'étaient pas les priorités. Il n'y a au Canada qu'une seule nation, dans un état unique; Québec ne représentera pas la nation québécoise, il appartient au gouvernement fédéral de représenter tous les Canadiens-français du Canada; il y a un problème important, capital, c'est celui des droits individuels, des droits linguistiques en particulier; il s'avère donc urgent d'ajouter à la constitution actuelle une charte des Droits de l'homme. Habile petite diversion aux entournures de sa gymnastique constitutionnelle. Trudeau rejetait du revers de la main la théorie des deux nations; car si on l'accepte, on devra accorder au Québec un statut particulier pour ensuite passer aux Etats-Associés et pour enfin aboutir à la sécession c'est-à-dire à la fin de l'empire fédéral. Des pouvoirs accrus pour le Québec? Jamais. Le rôle des députés fédéraux du Québec, utiles petits vassaux, s'en trouverait d'autant diminué. Trudeau avait accusé Johnson de vouloir se construire un petit empire au Québec; lui, c'est à la grandeur du Canada qu'il voulait étendre le sien. Comme tout cela plaisait aux autres premiers ministres du reste du Canada! Un Canadien-français qui se dresse, enfin, fort de tout le poids de l'Establishment pour mâter ses compatriotes. Quel spectacle réjouissant! Trudeau survenait au bon moment. Le gouvernement Pearson n'en finissait plus de temporiser, de négocier, d'attendre et de céder. Arrivait enfin un homme, un Canadien-français qui venait sauver la tranquilité canadienne-anglaise.

* * *

Johnson mesurait toute la portée de cette conférence fédérale-provinciale; elle devenait l'affrontement majeur et final entre Québec et Ottawa et il était là, seul, face à Trudeau et au front commun canadien-anglais résolus à ne rien céder, à refermer sur le Québec la barrière du ghetto constitutionnel.

Johnson nous l'avait répété à plusieurs reprises: la conférence d'Ottawa ne serait pour Trudeau que la plate-forme idéale pour lancer sa candidature à la chefferie libérale. Il l'avait préparé ce lancement depuis des mois; il se devait de donner la meilleure performance, de se montrer le plus habile des complices du Canada-Anglais. Pas un détail ne fut négligé; tout y était: les airs entendus, les tics approbateurs, la phrase coulante et trompeuse, l'alternance du ton de la voix, la double variation du crescendo et du moderato, le regard tantôt courroucé et frondeur, tantôt dur et impénétrable.

Cette conférence, qui pour Johnson devenait le champ de bataille, le lieu d'affrontement final entre les Canadiens-français et les Canadiens-anglais, n'était pour Trudeau qu'une répétition générale avant la grande première: la convention libérale. Dans ce décor de carton-pâte de la politique fédérale (où résonnait le tintement des gros sous de l'Establishment), il s'était donné le rôle de jeune premier, de jeune premier ministre, et il déclamait, triomphant, sa thèse fédéraliste et sa soi-disant conséquence logique, la centralisation des pouvoirs: donc aucun pouvoir accru pour le Québec, province comme les autres, comme l'Ile-du-Prince-Edouard (qui est plus petite que le comté de Terrebonne), comme les provinces maritimes (dont les populations additionnées sont inférieures au grand Montréal), comme Terre-Neuve (qui vient tout juste de se joindre à la confédération).

Le "power-play" de Trudeau était tout à son avantage; le scénario avait été préparé en fonction de la vedette et Johnson était seul contre dix. Trudeau n'avait qu'à bien rendre son rôle de composition c'est-à-dire se déguiser en sauveur du Canada, en sauveur du parti libéral. Il n'avait qu'à reprendre l'essence même des positions de Diefenbaker qui, lui, se prenait pour MacDonald: la lignée était enfin reconstituée.

* * *

Johnson se retrouvait seul, désespéré avec, sur ses épaules, tout l'avenir de son peuple et toutes ses aspirations. Il connaissait l'impatience de cette jeunesse québécoise exaspérée par la longue humiliation historique et il avait devant lui un arriviste qui ne pensait qu'à sa carrière, qu'à son prestige et qui était de connivence avec tous ceux-là qui refusaient au Québec le droit de vivre et de respirer.

A cette conférence d'Ottawa s'est joué le drame de l'authentique chef d'Etat qu'était Daniel Johnson. Parce que Trudeau, fort de tout le poids de l'Establishment, avait dit non, il voyait la barrière qui se refermait implacablement sur le ghetto qu'il voulait ouvrir. Il venait de comprendre qu'il faudrait sauter des étapes; désormais, égalité voulait dire indépendance. Il ne lui restait qu'à jouer ses derniers pions. Echec et mat pour le Québec sur l'échiquier fédéral. Ottawa avait dit non et le Québec n'était pas prêt à changer de Front. Johnson venait de jouer sa dernière carte: le pari était perdu.

* * *

Pourquoi donc ce défi fédéral, et par rapport à cela où se situait la mission historique de Daniel Johnson?

Nous sommes dans les années 60; un peuple encore psychologiquement mineur voulait obtenir le consentement d'Ottawa avant de prendre possession de lui-même. Il trouva en la personne de Daniel Johnson le pacifique, le conciliant, le juridique: l'homme de la situation. Daniel Johnson se rendit donc à Ottawa pour faire la grande demande mais il se buta à ce refus catégorique.

La seule différence qui existait entre égalité et indépendance était un trait d'union diplomatique. Par son entêtement, Ottawa venait de mettre un terme à la différence. Il ne restait plus à Daniel Johnson qu'à attendre le bon moment; l'obstination d'Ottawa ferait mûrir son peuple. Celui-ci finirait par prendre conscience que ce consentement il n'avait pas à l'obtenir et que dorénavant à la question du Canada anglais: "What does Quebec want? " il faudrait répliquer par cette phrase qu'il avait jadis appliquée à l'Angleterre: "Don't bother, we will settle our problem ourselves".

Eternel bon joueur, le Canada-Français, pour prendre possession de lui-même, tenta la voie conciliante du "gentlemen's agreement". Par là, il servait une leçon de fair-play au Canada anglais mais, comme toujours, celui-ci ne respecta pas les règles du jeu.

* * *

Depuis longtemps le Canada anglais se cherchait un moyen de régler l'harassant problème québécois autrement que par une revision constitutionnelle.

Or il l'avait trouvé ce moyen en la personne de P.-E. Trudeau. C'était la solution idéale, la plus facile en apparence.

Le parti libéral venait de se dénicher un candidat en or, l'espoir des Canadiens-Anglais du Canada; il obtiendrait sûrement le vote anglophone du Québec et celui des libéraux canadiens-français.

Les Anglais exaspérés par les revendications constitutionnelles du Québec, par les de Gaulle, par les visites au Gabon, en France, par cette dimension internationale que voulait se donner le Québec, voyaient en Trudeau le libérateur de toutes leurs tracasseries québécoises, celui qui regardait de haut ces indigènes du Québec et qui semblait leur dire: "Québécois, restez dans ce ghetto qu'on a daigné vous laisser depuis 1760 et ne bougez plus".

* * *

Trudeau annonça sa candidature le 16 février; il fut le dernier à le faire. Son programme se résumait à peu de choses: 1° il se disait anti-nationaliste, évidemment; cela lui apportait le vote anglophone qui était majoritaire, en plus de le rendre sympathique aux capitalistes américains qui conservaient un petit goût sur du règne de Diefenbaker. 2° il se disait de gauche pour courtiser la clientèle du Nouveau Parti Démocratique et pour se concilier le vote des jeunes.

* * *

Johnson savait que devenu Premier Ministre, Trudeau serait intraitable; qu'il reprendrait la politique de Diefenbaker: one country, one nation.

Lorsque l'Union Nationale tint son banquet annuel, le 25 février, à Montréal où plus de 6000 personnes étaient réunies, M. Johnson attaqua fortement M. Trudeau; il l'accusa d'empoisonner l'atmosphère en ressuscitant de vieux mythes; il lui reprocha de se bâtir une carrière sur des attitudes rétrogrades. Il le compara à Lord Durham, à ce fameux dignitaire anglais qui dans son rapport manifesta tant de mépris à l'égard de "ce peuple sans histoire et sans littérature".

La campagne pour la direction du parti libéral fédéral avançait et M. Johnson la suivait avec beaucoup d'attention et avec une inquiétude certaine. Nous nous étions réunis pour un caucus quelques jours avant la convention libérale et l'on nous demanda de faire nos pronostics personnels quant aux chances des candidats en lice. Voici le résultat de nos extrapolations: Winter,

1er, Hellyer, 2e, Martin, 3e, et Trudeau 4e avec quelques votes seulement. (1)

Nous prenions nos désirs pour des réalités.

* * *

Lorsque vint la campagne électorale, une bonne partie d'entre nous s'engagea à fond; certains restèrent complètement neutres, tel M. Bertrand et M. Bellemare par exemple.

Nous savions bien que M. Stanfield projetait une image plutôt terne mais il nous fallait faire élire quelques alliés. Dans un mouvement concerté, plusieurs députés et ministres mirent leur machine électorale à la disposition des candidats conservateurs espérant en faire élire au moins une vingtaine. A l'occasion des caucus, M. Johnson s'enquérait toujours de la situation dans les comtés; la plupart se déclaraient optimistes mais quelques-uns parmi nous se montrèrent plutôt réticents vis-à-vis la participation de M. Johnson à la lutte électorale. Cette campagne l'inquiétait beaucoup. C'était aussi le "campaigner" de toujours qui se manifestait chez-lui et qu'il contenait difficilement. La machine du parti fonctionnait à plein dans Langelier (2) où l'on tentait de retenir Jean Marchand afin de l'empêcher d'aller déblatérer partout contre le Québec, comme il l'avait fait à Vancouver, et comme il l'a fait en octobre 70.

Les libéraux s'engagèrent eux aussi à fond; ils publièrent une déclaration qui appuyait M. Trudeau et son équipe (3); c'est Jean-Paul Lefebvre qui en était l'instigateur; cela leur attira un des articles les plus virulent que Claude Ryan n'ait jamais écrit de

---

(1) 4 sur 44.

(2) Elle coûta très cher à l'UN dans ce comté.

(3) 28 l'avaient signé.

toute sa carrière; il s'intitulait "opportunisme gluant". Il disait entre autre: "Rien ne sent plus l'opportunisme, voir l'hypocrisie que cette déclaration..." justement parce qu'elle reniait par le fait même toute leur politique sur le statut particulier qu'ils défendaient depuis près de 8 ans. (Seul Yves Michaud se désolidarisa publiquement de ce mouvement opportuniste).

Philippe Demers se leva en Chambre le 21 juin et déclara ironiquement: "J'invoque une question de privilège afin que le bon renom de l'Assemblée Législative soit sauvegardé. Je m'élève ce matin avec la vigueur et avec les propos les plus délicats dont je suis capable contre cet article de journal qui traite des collègues de cette Assemblée de gluants opportunistes et d'hypocrites. Je voudrais que, dans ce journal, on sauvegarde le bon renom de cette Assemblée. Lorsqu'on traite des collègues de cette Chambre d'hypocrites, d'opportunistes gluants, on touche à toute l'Assemblée Législative". Claude Wagner était celui qui travaillait le plus activement pour ses collègues fédéraux.

Johnson se cherchait désespérément des alliés à Ottawa; les trois colombes s'étant déclarées les ennemis jurés de ce nouveau désir de libération du Québec, Johnson pouvait s'attendre au pire de leur part; ne fallait-il pas tout craindre de ces jolies colombes métamorphosées en faucons plus voraces que ceux du Pentagone. A qui se fier? Johnson avait vite décelé le piège tendu dans l'offre hypocrite de Pierre Laporte de constituer un front commun pour le combat constitutionnel . D'autre part nous devions nous méfier des créditistes, car nous connaissions leurs accointances avec les libéraux. Et, pourtant, il nous fallait des alliés.

* * *

Nous avions appuyé à fond plusieurs candidats conservateurs dont M. Faribault, devenu subitement le leader québécois du parti conservateur, et le 25 juin, quatre seulement furent élus. Il fallut se rendre à l'évidence: notre participation intensive avait eu pour effet inattendu de faire baisser la majorité créditiste et par conséquent de favoriser la victoire de plusieurs candidats libéraux. Les libéraux firent élire 56 députés dont plusieurs sont allés se creuser des tombeaux anonymes à Ottawa. Le jeu de la mathématique électorale avait tourné à l'avantage de Trudeau.

* * *

Dans un court laps de temps M. Johnson eut l'occasion d'assister à deux manifestations populaires fort différentes et très révélatrices. La première fut celle du Chemin du Roy où il put constater l'enthousiasme significatif des Québécois pour le Général, et la deuxième, le défilé du 24 juin, où il fut témoin d'un sentiment collectif de répulsion à l'égard de Trudeau dont l'arrogante présence provoqua une des manifestations les plus violentes et les plus sanglantes jamais vues jusqu'alors à Montréal.

La première manifestation justifiait les luttes de Johnson pour la reconnaissance juridique de la nation. La deuxième lui donna raison quant à ses appréhensions au sujet de Trudeau. Il n'avait pas tort de craindre ce dangereux provocateur. Son intuition et sa perception du vrai Trudeau s'étaient avérées justes.

* * *

Par son attitude, Trudeau se révèle un homme dangereux comme le furent Wagner et Rémi Paul dans un autre sens. A un point tel, qu'il lui est impossible d'assister à une manifestation populaire au Québec sans être escorté d'un régiment de policiers, sa seule présence étant une menace pour la sécurité publique.

Il est quand même symptomatique qu'un chef d'Etat ne puisse mettre les pieds dans les CEGEP ou dans les universités québécoises où se réunit toute la jeunesse d'une nation. Il devrait être sensible à ce phénomène de rejet.

L'élément le plus jeune et le plus dynamique le repousse comme l'organisme sain rejette violemment les corps étrangers.

Quand un chef d'Etat est à ce point coupé de toute la jeunesse d'une nation, il devrait se poser de sérieuses questions.

* * *

Trudeau est la démonstration vivante du danger que présente le bilinguisme. Sa double appartenance à deux ethnies a fait de lui un éternel apatride. (1) Ne pouvant s'identifier à un groupe sans trahir l'autre et pas assez fort pour fixer son choix, il ne lui restait qu'à s'identifier à lui-même, ce qui équivalait à s'identifier à une abstraction. L'homme étant par définition un être social, il ne peut se réaliser qu'à travers les autres. Pas plus qu'un Chinois ne peut espérer être compris d'un Hindou, pas plus un être ne peut se réaliser que s'il appartient à un groupe donné. En constante quête de sa propre plénitude cet homme qui avait tout reçu de la vie, sauf l'essentiel, tenta de se revaloriser en dépassant le seul groupe social auquel il pouvait se targuer d'appartenir, celui des cossus. Le seul joyau manquant à sa couronne étant le titre de Premier Ministre, il le déroba. Ce fut réellement une usurpation de pouvoir: fabrication d'une image, réputation surfaite, invention d'une doctrine, il ne restait plus au mystificateur qu'à prendre possession de son trône... le roi-lune venait de naître. Mais à ce détenteur de tous les diplômes, il en manquait un seul, celui-là même dont la non-possession nous ferme à jamais les portes de la

(1) M. Johnson disait de lui qu'il était un continentaliste.

connaissance, le diplôme que décerne l'école de l'adversité. Notre gradué avait omis de l'obtenir. Or, devenu gouvernant, il s'en trouva fort démuni.

Ne pouvant affirmer une autorité inexistante, cet homme qui avait trop reçu pour posséder un peu, qui avait trop de convictions pour en avoir une seule, pris à son propre piège, se mit soudain à croire à cette petite doctrine fédéraliste-centralisatrice qu'il s'était inventée pour se justifier aux yeux des Québécois; lui qui ne croyait en rien se mit à croire à ses inventions; notre mystificateur se métamorphosait en mythomane. Lui qui ne croyait en personne se mit à croire en lui-même, forme de narcissisme intellectuel bien connu. Il venait de réduire le monde à sa dimension. L'homme aux mille et un credos politiques venait de se convertir en doctrinaire d'une seule foi. Mais si les Canadiens-anglais décernèrent à notre néophyte l'auréole d'un dieu, en revanche les Québécois l'affublèrent des attributs de Méphisto.

Tout comme Pearson avait désigné Trudeau comme bouc émissaire à la colère québécoise et au futur ressentiment canadien-anglais, Trudeau par le même processus mental et par une revanche inconsciente envoya ses naïves estafettes [1] canadiennes-françaises sur le champ de bataille québécois pour livrer la nouvelle doctrine, mais leur prosélytisme ne leur valurent que des sarcasmes, des oeufs et des tomates. (Rappelons que durant la dernière guerre on envoyait des Canadiens-français pour "tester" les terrains minés par les Allemands).

En s'improvisant chez d'Etat, Trudeau a usurpé un rôle qui le dépassait et pour se donner l'illusion de la force, il s'est fait tyran. A l'automne 69, dans un discours à Montréal, au beau milieu d'une envolée remplie de tension hystérique, il cria, l'oeil hagard et la lèvre tendue, son tonitruant: "Finies les folies" en

(1) Les Ouellette, les Goyer, les Pierre de Bané.

sommant Radio-Canada, la voix du peuple, de se taire. Le Québec devait s'enligner, comme les ministres de son cabinet, comme les ministres du cabinet provincial l'avaient déjà fait.

Le personnage Trudeau présente deux faces. Un diptyque assez curieux. D'une part, son image de casanova en pleine forme crée chez la jeunesse des autres provinces un phénomène d'adulation et d'hystérie collective qui s'apparente à celui provoqué jadis par Elvis Presley. D'autre part, par ses insolentes fanfaronnades, il s'avère un dangereux provocateur. C'est la double illusion de la virilité et de la force. Seuls les grecs savaient que le séducteur est misogyne et que le dieu de la guerre est un bravache.

* * *

Pierre Elliot Trudeau, tel Lord Durham, est, de tous les politiques, celui qui a le plus fait avancer la cause des Québécois. Et cela aura été le rôle historique de Trudeau, en refusant tout dialogue, de favoriser la poussée nationaliste et la sortie du Québec hors de la Confédération. En coupant court à toute discussion, il plaçait les Québécois devant l'évidence et la nécessité de se donner un pays bien à eux. Trudeau, symbole vivant de la volonté de puissance et de la domination du reste du Canada, aura été à son insu le meilleur allié du Québec en stimulant et en forçant toutes les énergies à s'unir et à faire front commun. Il nous aura permis de ménager nos forces et de les concentrer sur le Québec seulement. Soyons-lui reconnaissants d'avoir inconsciemment promu notre cause. Il aura éclairé les derniers hésitants honnêtes à se tourner vers Québec, leur seule patrie.

* * *

Que me reste-t-il de la première session de 1968, du 20 février au 5 juillet? Parce que même si nous étions préoccupés par cette campagne fédérale, nous avons quand même légiféré.

Plusieurs projets importants furent déposés. Le scandale de Ville Saint-Michel ennuya beaucoup le Premier Ministre parce qu'il gardait un vif souvenir de l'enquête Salvas et du tort qu'elle causa à tous ceux qu'elle avait traînés dans la boue. Il était sensible à ce genre de problèmes puisque lui-même avait longtemps été la cible favorite des détracteurs professionnels; quand on touchait à ce genre de choses, il s'emportait facilement et rapidement; c'était une plaie qu'il ne fallait pas ouvrir. C'est pourquoi il s'opposait aux enquêtes royales sur les administrations municipales. Le projet de loi no. 2 avait assujetti la cité de Saint-Michel au contrôle de la commission municipale; le no. 3 modifiait la loi sur la fraude et la corruption dans les affaires municipales et le no. 4 modifiait les pouvoirs de la Commission Municipale de Québec.

Ce qui avait indisposé le plus M. Johnson, c'est qu'il dut faire ces lois à la suite des démarches et des initiatives du député libéral Yves Michaud et de son agent électoral, Gérard Beaudry; il a passé ces lois mais un peu à contrecoeur. Cela l'horripilait de toucher à ces choses-là. Ces enquêtes royales ont toujours des répercussions nationales et entachent l'image de l'homme public canadien-français. "On pourrait en faire beaucoup d'enquêtes, nous savons tous ce qui se passe, mais qu'en restera-t-il à la fin? " nous avait-il dit. L'enquête Salvas l'avait traumatisé; il se souvenait de tous ceux qui en avaient souffert de ces enquêtes et qui souvent étaient davantage les victimes d'un système que des personnes malhonnêtes.

* * *

Le 28 mars 1968, Vincent Prince écrivait dans le Devoir: "Saint-Léonard pose un problème dont on ne saurait retarder indûment la solution. Le climat pourrait très vite se gâter". Ce journaliste voyait loin et le tout se gâta plus vite peut-être qu'il ne l'avait lui-même prévu.

Cette petite localité totalement inconnue jusqu'alors, devint le pôle où les yeux de tous les Canadiens se tournèrent pendant près de deux ans et la cause indirecte de la chute d'un gouvernement. Elle devint le symbole de la lutte d'un peuple pour sa survie, lutte contre l'assimilation et l'intégration.

Saint-Léonard fut la plaque-tournante, le pivot qui fit basculer tant de choses: un gouvernement, un parti et des carrières; il fut la source de passions secrètement camouflées; il devint vite un volcan prêt à sauter à n'importe quel instant; c'était de la dynamite qui blesserait quiconque y toucherait, de quelque façon que ce soit. Il fallait donc l'aborder de loin.

L'élection des commissaires et le référendum favorisant l'intégration scolaire eurent lieu le 10 juin; le jeudi 13 juin, l'opposition, heureuse de cet événement qui mettait le gouvernement dans l'eau bouillante, demanda à M. Johnson de préciser sa politique sur ce point: "Nous avons suivi l'expérience avec beaucoup d'intérêt. C'est quand même, en quelque sorte, un petit laboratoire [1]. L'une des causes de notre problème réside dans l'inertie de la CECM... Il reste que le comité de restructuration doit nous apporter des suggestions... Un ministère de l'immigration nous permettra de faire une sélection... tout cela en vue de mener dans l'ordre, à terme, une évolution que tout le monde sent... Il ne faut pas se laisser enflammer par certains propos et par certaines généralisations...

"Il faut se rendre compte que dans le Québec, les Anglophones catholiques et protestants ont été traités royalement... Il faudrait qu'on se débarrasse d'un complexe de supériorité dans certains milieux où l'on voudrait encore se comporter comme des vainqueurs, comme si on était en 1759, et que les droits seraient basés sur la conquête..."

---

(1) On y préparait une fameuse bombe!

Le 27 juin 1968, les commissaires de Saint-Léonard présentèrent cette résolution: que dans toutes les 1ères années du cours primaire, à compter de septembre 68, la langue d'enseignement serait le français. Cela fut adopté: les dés étaient jetés. Le Mouvement pour l'Intégration Scolaire avait gagné une première manche.

* * *

Et M. Johnson eut une autre crise cardiaque, le 3 juillet, tôt le matin. Très peu parmi la députation connaissaient la nature de la maladie du Premier Ministre; c'est beaucoup plus tard que nous sûmes qu'elle était grave. La session dura quelques jours et fut ajournée pour l'automne. Nous ne connaissions les allés et venues de M. Johnson que par les journaux. Les activités du Parlement et du gouvernement devinrent réduites au minimum, puisque M. Johnson était devenu de plus en plus celui qui, seul, dirigeait tout.

* * *

Les événements se précipitèrent. Les Etats-Généraux avec plusieurs autres organismes soutenaient le MIS dont les activités augmentaient et s'amplifiaient. Certains groupements, d'autre part, eurent recours à des procédures pour faire annuler les résolutions du 27 juin.

La querelle pour la représentation extérieure du Québec recommença; Québec s'abstint d'assister à une conférence sur l'Education organisée par l'UNESCO, refusant ainsi de se faire chapeauter par Ottawa. L'affaire Rossillon créa beaucoup d'émoi surtout à Ottawa où Trudeau traitait ce fonctionnaire français d'agent secret qui venait de France pour "miner" le Canada.

A la rentrée scolaire de septembre, la situation s'aggrava davantage: on occupa pendant quelques jours l'école Aimé Renaud qu'on avait donnée aux Anglophones. Ceux-ci s'organisèrent des écoles séparées subventionnées par des dons privés où plus de cent enfants suivirent des cours. Et l'on se rendit en pélerinage à Ottawa pour demander à M. Trudeau de régler ce problème scolaire. "C'est là que s'avère nécessaire une charte des droits de l'homme" répondit-il en les renvoyant à Québec.

* * *

M. Johnson revint le 23 septembre de sa convalescence avec ce problème majeur, presqu'insoluble, qu'était l'affaire de Saint-Léonard et qui plaçait encore le gouvernement dans l'eau bouillante.

Nous fûmes convoqués à un caucus pour le mardi 24 septembre, le soir, à la salle 85 du Parlement. Nous étions contents de voir revenir le chef du parti, bronzé, en pleine forme, "dangereusement bien" comme il avait dit le lendemain, et plein d'enthousiasme. Le premier sujet du caucus fut évidemment l'affaire de Saint-Léonard; cela le préoccupait beaucoup, semble-t-il, et l'avait ennuyé pendant toute sa convalescence. M. Cardinal nous fit froidement un exposé clair et concis de la situation; M. Bousquet y mit son mot. M. Johnson écoutait...

"Je suis en pleine forme", nous dit-il, "il y a tellement de talents parmi vous qui ne sont pas encore exploités... nous sommes certainement capables de faire une autre élection et de la gagner et même si nous perdions le pouvoir, ce ne serait pas tellement grave, puisqu'en fait, on ne l'a jamais eu." C'est la dernière fois que je le vis.

Et le lendemain, de ma chambre d'hôtel, j'écoutais à la T.V. cette conférence de presse qui nous redonnait, à nous tous du parti, confiance et enthousiasme. Parce que, depuis trois mois cela avait été plutôt calme et silencieux du côté de Québec et les critiques fusaient de toute part; après sa conférence, nous étions tous réunis au Café du Parlement pour le lunch et tout le monde reprenait espoir, la vie semblait revenir pour de bon.

Plusieurs députés montèrent à la Manic avec le Premier Ministre et je retournai dans mon comté, heureux et rassuré.

Le matin suivant, le 26, je lisais mon Devoir sur le coin de la table en écoutant la radio; voici qu'à 8.40 a.m., Radio-Canada interrompt subitement ses émissions pour donner un bulletin spécial: "M. Daniel Johnson vient de mourir au barrage de la Manicouagan, terrassé par une crise cardiaque".

* * *

Quand on analyse la vie de Daniel Johnson, on reste étonné par ce qu'on pourrait appeler chez cet intuitif, le génie de l'inconscient. Il avait perçu dès les années 60 qu'il lui faudrait refaire l'image et les cadres de son parti sans quoi il ne pourrait jamais reprendre le pouvoir. C'est ce qu'il fit avec détermination pendant quatre années en parcourant tout le Québec et en fondant des secrétariats à Québec et à Montréal; il a déclenché les grandes assises de 1965 pour être capable de présenter un programme adapté aux besoins de 1966. Il lui fallait renouveler aussi son équipe et il s'efforça d'y amener des jeunes. Il eut aussi à refaire sa propre image que certaines personnes mal intentionnées et certains caricaturistes s'étaient acharnés à ternir; c'est sans doute là l'aspect le plus pénible de toute sa vie publique; il sut s'entourer de gens susceptibles de l'aider à refaire son image publique et il sut se soumettre humblement à toutes leurs recommandations; il sut regarder les problèmes en face et entreprendre le combat avec détermination.

Il avait compris lui aussi les besoins de la révolution tranquille mais il en avait vite vu les limites et les faiblesses. Quand il fut battu en 62, il savait très bien que ni lui ni son équipe d'alors n'étaient prêts à prendre le pouvoir. Il accepta facilement la défaite qu'il avait prévue plus grave.

Mais le problème du Québec, il l'avait senti dans toute sa plénitude; un désir, une vie nouvelle apparaissait chez les Québécois.

Il fallait que le Québec sorte de ce ghetto où il était cantonné depuis des siècles; cette sortie, il la préparait en douce.

M. Johnson est arrivé à la bonne heure et sut prendre la bifurcation au bon moment. Après la guerre, arrivait ce phénomène de l'urbanisation et de l'industrialisation massive; le Québec quittait sa tradition rurale, paroissiale et cléricale; la nation prenait une autre forme de vie, et pour survivre, le Québec avait besoin d'oxygène et devait s'ouvrir au monde de la francophonie et au monde entier tout simplement. M. Lesage et M. Gérin-Lajoie avaient compris cette nécessité vitale pour les Québécois et avaient signé des accords avec la France. M. Daniel Johnson continua ce travail que Trudeau cassa net, du revers de la main; et aujourd'hui le ministère des Affaires Inter-gouvernementales est relégué aux oubliettes.

De tout ce bouillonnement profond qui agitait la nation québécoise, apparut un sentiment imprécis mais qui s'affirmait de plus en plus, que le Québec devait assurer lui-même la maîtrise de toutes ses activités à partir du social jusqu'à l'économique, s'il voulait survivre. La Confédération deviendrait un tombeau anonyme pour nous tous si on ne la modifiait pas. Johnson voyait monter cette force indépendantiste, irrésistible, qui prenait ses racines au plus profond de la nation; elle lui apparaissait comme la projection de son propre désir de libération: le rêve prenait forme. Après la conférence d'Ottawa, il ne restait plus à Daniel Johnson qu'à composer, sauver du temps et ne rien céder; les circonstances l'aideraient sûrement, il trouverait bien la brèche chez l'adversaire. Il avait établi son bivouac à Québec et il guettait l'occasion, il l'aurait vite saisie au passage; cela aurait pu être l'affaire de Saint-Léonard...

Johnson était un "national"; il percevait la nation dans sa totalité; il la revoyait avancer, évoluer, retardataire en province, à l'avant-garde à Montréal; il lui fallait tenir les deux pôles, les deux extrémités par la seule puissance de son génie politique. Il percevait la nation comme il percevait sa députation.

* * *

Il contrôlait cette famille indisciplinée et divisée qu'était l'Union Nationale par son seul magnétisme personnel et le charme d'une personnalité réceptive et toute en nuances; les plus sages le secondaient mais plusieurs s'amusaient, inconscients de la gravité de ses responsabilités. Leurs préoccupations se limitant à leur réélection et aux promotions espérées. Confiants en leur chef, ils s'abandonnaient à l'insouciance. Dans les heures difficiles, il était toujours là, indéfectible. Ils croyaient en ce général qui menait de plus en plus seul (tout en consultant tout le monde); ils avaient foi en son génie de stratège; quand tout semblait perdu, ce tacticien aux mille astuces, aux ressources illimitées, trouvait toujours le moyen de s'en sortir. Il connaissait l'art de convertir une situation difficile en une position de force; il savait contourner la difficulté puis tendre un piège inattendu au bon moment. Etait-il acculé au mur, vite un tour de passe-passe, une petite diversion et l'attention de l'adversaire s'en trouvait portée ailleurs. Nous nous amusions fort entre nous de sa façon de répondre à une question embarrassante en en posant une autre de telle sorte que l'attention de l'interlocuteur s'en trouvait distraite. Egalité ou indépendance: une seule et même vérité à double reflet fédéral-provincial. Géniale diversion historique: tandis que l'on s'empêtrait dans les virgules de la nuance, le front des indépendantistes avançait et le peuple mûrissait.

Il avait attendu six mois avant d'ouvrir la session afin de mieux contrôler ses troupes et laisser le temps à l'ennemi de s'entretuer. Il ne craignait nullement les attaques des gros canons du parti libéral. Il s'amusait beaucoup de Jean Lesage dont il disait: "C'est mon meilleur".

Il leur tendait des pièges finement, discrètement. "Est-ce que le député me permettrait une petite question? " et Johnson d'entraîner l'adversaire sur le terrain où il voulait. Nous avons vu comment, lors du retrait de son bill 67, il pouvait coincer l'adversaire. Quand l'ennemi attaquait de toutes parts, il savait tendre l'hameçon pour les diviser: flatter les uns aux détriments des autres, ce qui faisait dire à René Lévesque qui vite saisissait: "Il y a des bontés qui tuent".

Aujourd'hui les libéraux forment un parti "indivisible", ils sont tous à la remorque d'Ottawa; ils ont tous la même pensée et ils ne pensent pas beaucoup. Ils se sont tous prononcés pour un fédéralisme rentable; seul mot permis par M. Trudeau sans quoi ils se feront couper les vivres (des gars pratiques). Mais à cette époque, ils avaient plus de couleur et de dynamisme. D'Emilien Lafrance à Yves Michaud la patinoire était large et M. Johnson s'y amusait follement, (aujourd'hui elle a la largeur d'une passerelle et les 72 députés sont tous alignés, un à un).

Dans les caucus, M. Johnson laissait parler tout le monde. Quand tous et chacun s'étaient vidés, il disait: "Je ne partage pas tout-à-fait l'avis de plusieurs de mes collègues sur tel sujet," sans préciser de quels collègues il s'agissait bien entendu.

M. Johnson possédait la magie du verbe. Lors du fameux "Vive le Québec libre" du président de la France, alors que J.J. Bertrand, Jean Lesage et Jean Drapeau, faisant écho à la rage anglo-saxonne, s'époumonèrent en cris d'épouvante, M. Johnson, lui, attendit, puis s'emparant du mot du Général français, il le fit sien, il l'apprivoisa, le mit bien au chaud dans des explications et des justifications: il lui donna une réconfortante saveur québécoise.

Il aimait narguer l'adversaire; lors d'une rencontre avec M.Trudeau, il lui parla de sa "politique familiale". (1)

Johnson était homme de nation et aussi homme du peuple; au Café du Parlement il passait des heures à parler à celui-ci, à serrer la main à celui-là, et à écouter ce qu'on disait. C'est par ce contact direct, quotidien, humain qu'il tâtait le pouls de la nation. Les remarques d'un garçon de table ou d'un chauffeur de taxi prenaient une importance capitale pour lui; il savait pénétrer la population; c'est par elle et à travers elle qu'il saisissait les problèmes.

Jacques Parizeau m'a raconté que lorsque lui et Claude Morin lui avaient soumis le problème des satellites, il avait tout de suite compris l'importance capitale de ce nouveau moyen de communication pour le Québec francophone; ce fut l'un des principaux sujets d'entente avec la France, avant même qu'Ottawa pose un geste concret dans ce sens-là.

Etant député de Bagot, il connaissait à fond le monde rural et aussi le monde urbain; il saisissait la différence de ces deux mondes qui n'avançaient pas au même rythme et qui formaient le dyptique québécois, une société globale dont il fallait tenir compte.

Il discernait vite chez ses organisateurs les amis fidèles et loyaux des exploiteurs et des parasites qui entourent toujours le chef de l'Etat.

* * *

Daniel Johnson avait les qualités de chef de Duplessis mais en plus une dimension humaine que la souffrance lui avait donnée; en outre, une pénétration des êtres, un sens des autres et de leurs

---

(1) Contenue dans le bill omnibus qui traitait du divorce, de l'avortement et de l'homosexualité.

problèmes; enfin il avait atteint une dimension nationale et internationale que Duplessis n'avait jamais atteinte; ce dernier ne se rendait à New York que pour assister au baseball.

Cette dimension internationale du Québec perçue par ses prédécesseurs, il l'a continuée d'une façon vivante, spectaculaire parfois; ce n'était pas une guerre de tapis rouges et des intrigues d'ambassades qu'il tramait mais c'était une lutte pour la survie d'une nation qu'il livrait. Ce n'est pas un empire qu'il voulait se créer, c'est un pays qu'il voulait donner à son peuple.

Duplessis restait renfermé dans un monde clos, hermétique et dépendant d'un passé centenaire; c'étaient la terre, l'école, la famille, l'Eglise, là où la nation vivait souveraine et calme. Voici que ces structures changeaient, s'écroulaient une à une. Sensible et encore attaché à ce monde qui mourrait et lucide à l'égard de celui qui naissait, Daniel Johnson se plaçait à l'avant-garde mais il saisissait le drame du retardataire; il était déchiré et violenté; il vivait avec sa nation sa transformation lente, profonde et douloureuse.

Témoin de notre étouffement collectif, il rêvait d'une structure politique capable de nous assurer davantage qu'une éphémère survivance. De là, sa volonté de nous doter d'un territoire national, d'un Etat vraiment québécois avec une constitution bien à nous, avec une langue nationale et prioritaire: il voulait donner le Québec au Québécois.

* * *

Les pionniers de l'indépendance eurent à relever cet incroyable défi: faire face à l'inconscience de tout un peuple qui s'acheminait allègrement vers sa mort nationale. Mais l'indéfectible courage et la farouche détermination de ces éveilleurs de conscience nous menèrent directement à cette autre étape, celle de l'interrogation, celle de la question posée: Egalité ou Indépendance. L'échec des négociations avec Ottawa accomplies par un des plus habiles politiques que le Québec ait jamais connu faisait la preuve que la réponse à la question devrait être l'indépendance.

* * *

Ma femme indépendantiste à 200% me rapporta que lors d'une conversation avec M. Johnson elle avait appris qu'il était clair pour lui que l'avenir du Québec c'était l'indépendance. Le problème posé se situait au niveau du choix du moment qui selon lui dépendait de la maturité du peuple.

Au cours d'une conversation téléphonique qui eut lieu durant la conférence d'Ottawa, elle le félicita et lui dit: "M. Johnson il n'y a pas de meilleur homme que vous pour faire l'indépendance." Visiblement très ému il répondit: "Vous êtes en avant de moi et vous tenez le flambeau." puis il ajouta: "Tout ce que j'ai fait c'est pour vous autres les jeunes" et il dit cela avec beaucoup d'insistance.

Par le souvenir qu'en garda ma femme, je vis là comme le dernier message d'un chef d'Etat à la jeunesse de sa nation et je tenais à le communiquer.

* * *

A l'école de l'adversité, Daniel Johnson avait accumulé tous les diplômes. "Son calvaire il l'avait monté à genoux" (1). Il avait eu à subir la tyrannie paternaliste d'un Maurice Duplessis. Encaisser, se taire et attendre avait été sa première leçon politique. Sa très grande sensibilité ayant été écorchée vive par le dur monde où il évoluait, il avait appris à dompter sa propre souffrance et il

---

(1) Expression de M. Bellemare.

était parvenu à une incroyable maîtrise de lui-même: Quand il s'embarqua sur le bateau du pouvoir, il était seul à savoir que c'était un bateau de guerre; une partie de ses députés se croyaient en partance pour une joyeuse croisière. Tandis que l'on s'amusait de tribord à babord, quelques députés surveillaient le gouvernail. Le grand capitaine manoeuvrait son bateau, un coup de barre du côté du Canada, deux autres du côté du Québec mais sans fausses manoeuvres, de peur d'être englouti; il se savait sur une mer houleuse. Puis du côté du Canada, il frappa un iceberg. Que faire? "Faut-il sauter? Faut-il plonger? " (1) Le bateau coule, la mer est houleuse mais le port est proche. Il donna un dernier coup de barre du côté du Québec pour se rendre à bon port puis, tandis que l'on se disputait les dépouilles de l'épave, il s'endormit: Capitaine Johnson, mission accomplie.

* * *

L'histoire a elle aussi sa symbolique. Dans le geste de M. Paul Chouinard, décrochant de son mât le drapeau du Québec pour en faire un linceul couvrant le corps de M. Johnson en ajoutant: "C'est pour ça qu'il est mort", je vois là la réponse d'une nation: elle avait compris.

* * *

M. Johnson fut cet homme assez fort pour regarder en face sa propre faiblesse sans pour autant s'en sentir diminuer. "Quand je nous regarde je me désole, mais quand je nous compare, je me console," disait-il souvent.

* * *

(1) A un caucus M. Johnson nous avait posé la question sans attendre de réponse parce que cette question c'est à lui-même qu'il la posait.

Par delà le tombeau, perdure le souvenir d'un homme dont la frémissante sensibilité rappelle le roseau qui aux caprices du vent toujours s'incline mais jamais ne se brise.

* * *

Pour moi, le drame de Daniel Johnson, c'était de voir le Québec en mouvance accélérée mais non équilibrée, brûlant d'un profond désir de libération et de tenter d'en sortir par le haut, dans le cadre de la Confédération et de se faire dire non, de se faire crier, par un hystérique: finies les folies, alors que toute la nation aspire à s'épanouir; d'avoir à se battre seul contre dix qui ne comprennent pas ou qui se refusent à comprendre; de n'avoir comme armes que la lucidité et la ruse et le don de persuasion; et de voir en même temps un peuple qui souffre d'une peur entretenue, qui hésite mais qui aspire depuis si longtemps à cela et ne peut se décider à faire le saut à cause d'une trop longue habitude d'oppression et à cause de sa dégradante habitude se battre contre lui-même plutôt que contre l'ennemi; et de savoir, d'autre part, que la patience d'un peuple opprimé ne peut être éternelle et qu'elle engendrera tôt ou tard la violence; et de se voir entouré d'un groupe qui était peu sensible à ces problèmes et plutôt disposé à revenir aux habitudes partisanes des années 50; et de se voir entouré de lieutenants qui se cherchaient des grades sans les mériter et qui ne pensaient qu'à se faire réélire; et de se voir entouré de requins qui pouvaient briser n'importe quel gouvernement d'un seul coup de mâchoire et de se sentir surveillé par des vautours à l'oeil perçant qui n'attendaient que l'occasion pour bondir sur leur proie; et de se faire traiter de patineur de fantaisie par tous ceux-là qui n'avaient jamais chaussé les patins, alors que la glace était impraticable.

Daniel Johnson était cet homme divisé par deux mondes, l'ancien et le nouveau; par deux blocs, le Québec et le Canada; entre les Puissants et le peuple opprimé.

Il avait cette lucidité qui engendre les tourments les plus douloureux; cet homme était seul et il est allé mourir là-bas, seul, comme il a vécu, près de ce grand barrage qu'il avait commencé.

Il a amené avec lui l'Union Nationale parce qu'il savait qu'elle ne serait plus utile pour son Québec, plus jamais. Ils sont partis, ensemble, pour toujours.

5 *Le bill 85*

Le mardi, 1er octobre, le whip en chef nous convoqua tous pour participer au caucus qui devait se tenir le lendemain, à la salle 85 du Parlement à 11.00 heures a.m. Ce fut le plus important caucus depuis celui de la rencontre générale de juin 1966, après la victoire. Il nous fallut choisir le futur Premier Ministre pour remplacer celui qui venait tout juste de nous quitter. Pour une rare fois tous furent présents. Les 55 députés avaient le choix mais un seul toutefois était en lice: il avait été ministre en 1958; candidat à la direction du parti en 1961; ministre de l'Education et ministre de la Justice en 1966, puis vice-premier-ministre et premier ministre intérimaire; M. Jean-Jacques Bertrand fut choisi à l'unanimité. Mais quelques-uns avaient rondement mené les procédures afin que ce caucus se déroulât sans discussion et le plus rapidement possible. Après un court et émouvant discours, le nouvel élu se rendit, en compagnie de J.-N. Tremblay et de quelques autres, prêter serment au représentant de sa gracieuse Majesté. M. Bertrand conserva sans le modifier le cabinet précédent; il garda aussi le personnel attaché au bureau de son prédécesseur.

Il me resta une impression assez pénible de ce caucus. Tous ceux qui avaient critiqué M. Bertrand parce qu'il s'était refusé à faire du patronage à l'Education ou à la Justice, tous ceux-là qui n'avaient jamais raté une occasion de le discréditer et de le ridiculiser, tous ceux-là étaient aujourd'hui avec lui, gentils, aimables, bien disposés, l'entourant de leur plus grande attention; le Pouvoir leur donnait une autre perception de l'homme politique. Le même phénomène s'était produit en '66 avec M. Johnson.

Le contexte politico-social changea complètement d'allure, cet automne de 1968. M. Lesage, dont le leadership était constamment remis en question, fit confirmer son autorité par une acclamation générale des délégués au congrès annuel du parti fin octobre.

Puis ce fut la contestation générale qui éclata dans plusieurs CEGEP du Québec, contestation qui surprenait et étonnait tout le monde car elle survenait subitement sans raison apparente.

Trois semaines après le départ de M. Johnson, avait lieu le congrès MSA-RN, d'où sortit une nouvelle formation politique, le Parti Québécois. Quelques jours plus tard, Pierre Bourgault sabordait son propre parti, le RIN, et recommandait à tous ses membres de se joindre au Parti Québécois. Rares sont les hommes politiques assez lucides, assez réalistes et assez généreux pour posséder à ce point le sens de l'histoire. En sabordant son parti afin de ne pas diviser les forces de la nation, il faisait mentir à jamais lord Durham qui disait que la partisanneric détruirait le peuple canadien-français. Par ce geste Pierre Bourgault a réalisé le voeu du chanoine Groulx qui espérait que l'esprit de la nation l'emporterait sur l'esprit de parti: condition même de notre survie.

Pierre Bourgault aura connu ces temps obscurs où un peuple repu de fausse propagande vomissait ses héros. Mais à la lumière des événements l'histoire finit toujours par donner à chacun la place qui lui revient.

* * *

Le docteur Gaston Tremblay, député de Montmorency, quittait les rangs de l'Union Nationale sans en prévenir personne: c'était le premier signe extérieur de désintégration. Il se joignit à l'éphémère Parti Nationaliste Chrétien.

* * *

M. Bertrand déclencha des élections partielles dans Bagot et dans Notre-Dame-de-Grâce, comté laissé vacant par le départ de M. Kierans. La date fixée: le 4 décembre. M. Bertrand ne perdait pas son temps.

Les dirigeants du Mouvement pour l'Intégration Scolaire ne restaient pas inactifs eux non plus; ils voulaient créer 10, 20, 50 nouveaux Saint-Léonard dans tout le Québec, dans la région de Hull, dans le comté de Papineau, partout où se rencontraient les deux groupes linguistiques. Plus tard, au début de novembre, ils lancèrent l'opération-dépliants, par laquelle ils voulaient distribuer 300,000 tracts qui expliquaient leur philosophie et leurs objectifs. Tout cela eut pour effet immédiat d'ameuter le monde anglo-saxon et surtout les autorités gouvernementales qui voyaient déjà surgir à la grandeur du Québec des dizaines et des dizaines de nouveaux "foyers d'incendie". Tout cela pouvait facilement dégénérer en désordre et un gouvernement préfère presque toujours l'ordre à la justice.

* * *

Les deux mois de la session d'automne, sous l'administration Bertrand, se déroulèrent sous le signe de l'efficacité, du rendement et de la ponctualité. Tout roulait rondement; finis les longs débats. Se présentait-il un problème, une difficulté, que M. Bertrand y apportait une solution immédiate. "Que l'on me juge sur mes actes et non sur mes paroles", m'avait-il répondu un jour que je lui avais recommandé de tenir un peu plus compte de son image publique. Quelques hommes-clés furent remplacés à l'automne au bureau du Premier Ministre et ailleurs. Les mutations importantes se firent après la convention.

Ce fut le projet de loi no. 75 créant le Ministère de l'Immigration; le no. 76, ordonnant l'annexion de Ville Saint-Michel à Montréal; le no. 77, permettant le mariage civil; le no. 88, créant l'Université du Québec; le no. 90, abolissant le Conseil Législatif, etc... Les lois préparées depuis un an ou deux passaient rapidement. Y a-t-il un problème à Saint-Léonard? Il faut régler cela tout de suite, parce que "tout ce qui traîne se salit", nous disait M. Bertrand. Et le Premier Ministre de tirer sur un fil qui vient et n'a de cesse de venir, et dont il ne voit pas la fin; il est à défaire tout le canevas... de son parti et du gouvernement.

* * *

M. Lynch-Staunton fut désigné comme candidat du parti dans Notre-Dame-de-Grâce. M. Bertrand désirait à tout prix faire un test dans ce comté anglophone. Peut-être pensait-il que les Anglais de Montréal réagiraient comme ceux de son comté. Il était presque assuré de la victoire de son candidat, digne représentant de l'Establishment montréalais. Tous les Anglais et les journaux anglophones répétaient constamment: "Remember Saint. Leonard". Dans la semaine du 20 novembre, M. Staunton, simple candidat, annonça lui-même que le gouvernement s'apprêtait à régler l'épineuse question de Saint-Léonard. Et voici que M. Bertrand passe à une émission de radio au poste CFCF; à une personne de langue anglaise qui lui demande ce qu'il entend faire pour régler ce conflit scolaire, celui-ci de répondre: "A law will be submitted next week to the Quebec Parliament whereby I think linguistics rights of the minority will be protected, not would be, but will be protected in this Province." C'était le vendredi soir, 22 novembre 1968.

Et nous, le lendemain matin de lire dans les journaux et d'entendre à la radio, que M. Bertrand déposerait en Chambre un projet de loi pour régler le conflit de Saint-Léonard et pour protéger les droits de la minorité. C'est chez-moi, dans mon salon que j'appris ces nouvelles. J'étais consterné; apprendre par les journaux qu'on va passer une loi aussi importante pour tout le Québec et pour tout son devenir, c'était inacceptable. J'appelai aussitôt deux députés aussi surpris que révoltés et ne comprenant pas trop ce qui se passait, on communiqua avec deux ministres qui restèrent assez évasifs. Par la suite, j'ai su que le Conseil des Ministres n'en avait pas discuté.

Le lundi, 25 novembre, dans l'après-midi, M. Bertrand recevait à son bureau de Montréal un groupe représentant plusieurs organismes qui protestèrent vivement contre la déposition d'un tel projet en Chambre. Le lendemain matin, à 8.00 heures a.m. nous eûmes un caucus au Club Renaissance [1]. La veille, à ma chambre d'hôtel, j'avais préparé quelque peu mon argumentation. "C'est de la dynamite que de déposer un tel projet de loi... Il vaut mieux attendre... Ce sont les intérêts de la majorité qui sont en danger, non ceux de la minorité... On ne peut pas régler le problème de Saint-Léonard par une loi passée à la vapeur... Il faudrait passer une loi qui établirait le statu quo... et prendre tout le temps qu'il faut pour légiférer... C'est une concession inacceptable dans cette période-ci..." Peu parlèrent, ne sentant pas qu'on touchait à un problème capital. Trois députés et deux ministres s'objectèrent à la déposition du bill; quelques autres hésitaient.

---

(1) M. Bertrand était un matinal.

Le mercredi matin, à la même heure et au même endroit, avait lieu un autre caucus: la tension augmentait. M. Bertrand s'était muni d'une copie du projet de loi et cherchait à nous en expliquer les principes. Aucun des contestataires ne désirait d'explications. A quoi bon, nous en devinions toutes les implications. Nous étions contre le projet tout simplement et nous devinions ce qu'il pouvait contenir. A un moment donné, il fallut prendre une pause-café, parce que personne ne voulait revenir sur ses positions. Pour nous, il s'agissait de gagner du temps et de faire retarder la déposition du projet jusqu'après les élections partielles. C'est ce que nous obtenions après deux heures de discussions et de luttes. Cinq parlementaires faisaient front, seuls; la plupart des autres étaient favorables au projet ou tout simplement indifférents parce que ne connaissant pas suffisamment les données du problème. Quelques minutes avant l'ouverture de la session, il y eut un autre caucus où M. Bertrand nous soumit le texte de sa déclaration ministérielle; tous étaient d'accord: "Nous le déposerons sûrement avant la fin de la présente session..." Nous demandâmes sans succès d'enlever le mot sûrement; M. Bertrand refusa carrément.

A 3.00 heures, à l'ouverture de la session, M. Bertrand lut cette déclaration ministérielle: "... conscients de nos responsabilités devant le Parlement et devant l'opinion publique, nous avons décidé de ne pas présenter le projet de loi cette semaine. Nous le déposerons sûrement avant la fin de la présente session, car il n'y a pas à se le cacher, il s'agit d'un problème délicat et difficile..." Et l'opposition, en particulier M. Lesage, de se moquer du recul du Premier Ministre.

* * *

Quand les journalistes demandèrent à M. Bertrand de commenter l'entrée de Pierre Bourgault dans le Parti Québécois, il répondit: "C'est un cheval de Troie qui entre dans le parti de René Lévesque." Or, sans s'en rendre compte, c'était son propre candidat, M. Lynch-Staunton, qui devenait un cheval de Troie pour l'Union Nationale. Il forçait nécessairement le parti au pouvoir à tenir compte du vote anglophone, dans tous ses mouvements politiques. Pour mousser la candidature de M. Lynch-Staunton, M. Bertrand se rendit deux fois dans le comté de N.D.G.; les électeurs n'avaient qu'une question à la bouche ou à l'esprit: "What's about St. Leonard? " M. Bertrand se plaçait lui et son parti dans une position extrêmement difficile. Comme chef de parti il faisait montre d'une inconséquence grave. De nous tous, Denis Bousquet se montrait le plus révolté d'une telle manoeuvre et de l'ascendant qu'exerçait M. Lynch-Staunton sur M. Bertrand. Avoir un tel poids et n'être que candidat. Qu'en aurait-il été si M. Lynch-Staunton avait été élu et nommé ministre?

L'électorat de Notre-Dame-de-Grâce donna son vote aux libéraux comme d'habitude; M. Staunton nous affirma qu'il resterait dans l'UN tant que M. Bertrand sera là. Je crois qu'il fut la cause indirecte de la première erreur du nouveau régime. L'Ouest de Montréal ne votait jamais pour nous. Pourquoi donc ce revirement? D'où lui venait ce besoin subi de courtiser un électorat qui ne nous accordait jamais son vote? La preuve avait été faite pourtant.

* * *

Jean-Guy Cardinal faisait belle campagne dans Bagot même si au début les libéraux y engagèrent une dure lutte: [1] "Nous allons nous battre, rue par rue, rang par rang, maison par maison", disait Pierre Laporte. Les libéraux se divisaient les paroisses. Chez-nous la responsabilité de chaque paroisse incombait à un ou deux ministres; de plus tous les principaux lieutenants du parti prenaient part à la lutte. Bagot était pour nous tous un symbole. Chaque électeur fut rencontré ou presque; tous leurs problèmes furent sinon réglés, du moins étudiés; quelques uns firent des promesses qui embêtèrent le député plus tard après son élection. Toute la machine y était et le coeur aussi; ce fut à mon avis la dernière belle élection que fit l'Union Nationale. M. Cardinal obtint plus de 2100 votes de majorité, sommet que jamais son prédécesseur n'a pu atteindre dans toute sa carrière dans ce comté, l'un des plus petits du Québec. Celui qui, un an auparavant, était nommé ministre de l'Education et Conseiller Législatif, venait d'être élu député de Bagot; dans quelques jours, il sera nommé vice-premier ministre et dans quelques temps encore, le plus bel homme de l'année; c'était beaucoup pour un seul homme dans l'espace d'une année. Il fut présenté à la Chambre le jeudi 12 décembre, avec M. Tetley, élu à N.D.G.

Le jeudi, 5 décembre, après les élections, tous les contestataires croyaient que M. Bertrand déposerait son fameux projet de loi; une manifestation fut donc organisée devant le Parlement, ce qui eut l'heur d'énerver tous les parlementaires et de créer des remous dans tout le Québec.

---

(1) Même s'il fut cloué pendant un mois au Comité de l'Education et soumis aux attaques les plus virulentes de l'opposition... Je ne comprends pas encore pourquoi le gouvernement exposa ainsi le candidat à de telles épreuves. Pourquoi?

L'opposition au projet de loi s'organisait partout, dans les universités, dans les CEGEP, parmi les corps intermédiaires; plus de 40 organismes firent une espèce de front commun pour faire reculer le gouvernement; on parlait même d'organiser une autre manifestation devant le Parlement.

L'opposition se raidissait aussi de plus en plus à l'intérieur du parti où la tension augmentait de jour en jour alors que rien n'apparaissait à l'extérieur; aucun de nous ne faisait de déclarations officielles aux journalistes qui pourtant savaient tout. Nous réussîmes à obtenir la création d'une commission d'enquête "sur la situation de la langue française et sur les mesures à prendre pour en assurer le plein épanouissement, ainsi que sur les droits linguistiques des citoyens du Québec..." M. Bertrand lut cet arrêté ministériel le 9 décembre en Chambre et déposa le projet de loi no. 85, tel qu'il l'avait promis. Il fut hospitalisé le lendemain pour troubles cardiaques.

C'était là le problème de M. Bertrand; il s'était engagé publiquement et formellement à déposer un projet de loi pour régler le problème de Saint-Léonard; et il ne voulait pas reculer. "Moi, je ne recule pas," nous avait-il dit dans le plus chaud de nos délibérations; il avait l'habitude de ne pas céder.

Mais voici qu'il n'a pas de mandat ni de son parti ni du peuple pour passer une loi aussi importante; de plus la façon avec laquelle il l'avait présenté le plaçait dans une situation intenable. Plus le temps avançait, plus l'opposition montait dans son parti et à l'extérieur de la Chambre. L'opposition libérale se réjouissait de cette loi qui nous compromettait et divisait le parti. Instrument servile de l'élément anglophone, elle s'apprêtait à approuver le projet de loi.

Notre opposition se fondait sur ceci de très simple: ce ne sont pas les droits de la minorité qui sont en danger mais bien ceux de la majorité, ceux de la nation canadienne-française; Saint-Léonard, c'était un exemple, un avertissement, un signal d'alarme qui nous prévenait que les Québécois étaient sur la voie de l'assimilation; en arrêtant ce signal d'alarme qui ennuyait tout le monde, on ne réglait rien. Au contraire, on se fermait dangeureusement les yeux. La natalité baissait rapidement, l'urbanisation progressait au même rythme que l'industrialisation; la langue était surtout en danger dans les zones frontalières où les deux groupes linguistiques se rencontraient quotidiennement; c'était là pour nous le danger. Et l'on réglait le problème à l'envers. Toute cette question de fond reviendra lors du projet de loi no. 63.

La seule préoccupation de la majorité de nos collègues, c'était d'empêcher la répétition de cas identiques à Saint-Léonard; tout cela était selon eux source d'ennuis et d'embarras pour le gouvernement. "Si le bill 85 a pour effet d'étouffer les autres conflits qui pourraient survenir, je suis en sa faveur," disait un député qui ne pensait qu'en terme d'ordre et de paix publique.

* * *

Nous, les opposants, ne voulions absolument pas voter pour ce projet de loi; notre position était claire et nette et les dirigeants du gouvernement connaissaient notre détermination. M. Bertrand ne pouvait plus avancer, il était coincé. Le mardi 10 décembre, M. Cardinal fut nommé vice-premier ministre (1) et le Conseil des Ministres siégea cette journée-là. J'ai su par la suite que M. Bertrand avait laissé au Conseil des Ministres la liberté de prendre la décision qui leur semblait la meilleure dans les circonstances.

Le mercredi, 11 décembre, les ministres proposèrent au caucus la solution suivante: le projet de loi serait renvoyé à un comité et ne passerait pas le stage de la 2e lecture; il n'y aurait

---

(1) Il n'avait pas encore mis les pieds à l'Assemblée Nationale.

donc pas de vote possible. La solution était acceptable pour nous tous.

Quand un projet de loi bloque pour une raison quelconque, il y a toujours deux solutions: 1°, la création d'une commission royale d'enquête, laquelle peut durer des années; 2°, le transfert à une commission parlementaire, qui, elle, peut l'étudier pendant des mois... souvent jusqu'à l'enterrement du dit projet. Nous avions donc gagné une autre manche. Car le temps jouait en notre faveur. Pas pour longtemps toutefois; la vapeur serait renversée dix mois plus tard.

* * *

Les libéraux, au début, favorables au projet de loi, changèrent d'attitude devant les pressions venant de toute part; ils acceptèrent son renvoi au comité de l'Education, mais à la condition qu'il y ait un vote en 2e lecture. Ils exigeaient ce vote en deuxième lecture, c'est-à-dire sur le principe même du projet afin de nous diviser, car ils savaient que la faction nationaliste voterait contre le projet.

Ils se sont donc opposés à la suspension d'un règlement de la Chambre qui prévoit qu'un projet doit être adopté en principe, c'est-à-dire, en deuxième lecture avant d'être amendé ou même renvoyé à un comité. Pour MM. Bellemare et Rémi Paul, il s'imposait de sortir élégamment de cette impasse parlementaire qui risquait d'ébranler le parti. Ils menèrent si bien le débat, que l'unité du parti fut sauvée. Maurice Bellemare avait l'habitude de colmater les brèches de son parti. Mais dix mois plus tard, il ne pourra plus répéter son exploit.

* * *

Tout au long de ces débats la tension avait été grande au Parlement surtout chez les parlementaires; les anglophones s'étaient isolés et manifestaient de l'hostilité à notre égard. Lorsque Maurice Bellamare présenta sa motion pour envoyer immédiatement le projet au comité de l'Education, l'opposition fit une lutte serrée qui dura plus de douze heures avec 15 discours qui répétaient à peu près les mêmes arguments. La motion Bellemare passa évidemment: 50 contre 30; M. Hanley, M. Gaston Tremblay et M. René Lévesque votèrent avec le gouvernement.

* * *

Tout le monde s'insultait, ou se fuyait pour éviter les prises de bec. Mme Casgrain et Jean-Noël Tremblay s'injurièrent au Café du Parlement, (ce n'était pas la première fois d'ailleurs). Georges Tremblay et Jean-Noël Lavoie m'insultèrent copieusement. Pour eux, c'était une victoire des nationalistes et ils ne pouvaient supporter une telle chose. Quel était leur argument? "Si les Canadiens-français veulent réussir, qu'ils fassent comme j'ai fait," me disait Georges Tremblay; on me répéta souvent le même argument lors du projet de loi no. 63.

René Lévesque fut le seul à décrire véritablement l'atmosphère qui régnait au Parlement pendant cette semaine du 9 au 14 décembre (nous avions siégé le samedi jusqu'à 10.00 heures p.m.)

"Nous vivons, depuis quelques jours, dans une espèce de corridor absurde qui fait penser à un roman surréaliste dont cette motion et le climat dans lequel elle est présentée, est à la fois le point culminant et, nous pouvons l'espérer du moins, la porte de sortie. J'espère qu'elle ne sera pas une porte de sortie provisoire. En tout cas, c'est une porte de sortie qui était devenue absolument indispensable. Nous avons tellement baigné, ici dans cette Chambre, ces derniers jours, dans une atmosphère de tension et d'absurdité que nous sommes tous surpris, lorsque nous finissons par en sortir, de retrouver au dehors, une foule de gens qui continuent quand même de vivre normalement... Nous percevons qu'il y a en puissance une explosion dont ce bill, s'il allait plus loin qu'il n'est rendu en ce moment, pourrait être le détonnateur... On a dit très sincèrement chez certains commentateurs en particulier au moment de la première lecture, que cette motion était un acte de courage et c'est vrai. Mais c'était aussi une immense erreur d'appréciation à mon humble avis, aussi une erreur d'appréciation externe, c'est-à-dire de la température qui règne dans le Québec en particulier depuis six ou huit mois sur ce sujet-là, aussi bien externe qu'interne, c'est-à-dire de la température d'un parti... Je termine en espérant sans ambages que sous son pudique costume réglementaire cette motion devienne, pour le bill 85, son habit de funérailles et lui permette de retourner au néant d'où, à mon humble avis, il n'aurait pas dû sortir..."

* * *

Une fissure apparaissait dans le parti; une blessure profonde y laissait sa cicatrice; et le chef en sortait ébranlé.

C'était la première erreur grave du nouveau régime. Pourrait-il survivre à la deuxième?

Jean-Noël Tremblay joua un grand rôle dans toute cette affaire. Il se disait le représentant de l'aile nationaliste au Conseil des Ministres et il a bien fait son travail; on peut affirmer que la création de la Commission Gendron fut le résultat concret de son travail de contestation.

M. Rémi Paul, alors secrétaire de la Province, sut négocier habilement entre les deux groupes de telle sorte que la division du parti n'apparut pas trop ouvertement.

Mais c'est Maurice Bellemare qui réussit à sauver le parti car cela seul importait pour lui. Au début, il s'était, avec nous, violemment opposé au projet de loi, parce qu'il en avait tout de suite pressenti les conséquences désastreuses pour l'UN. Par la suite, il se rangea du côté du Premier Ministre, par esprit de discipline sans doute; il s'offusquait beaucoup de nos mini-caucus. A la fin, il dirigea seul les débats en Chambre pour le renvoi du projet à la Commission sur l'Education. Cela l'horripilait de penser que des députés puissent voter contre un projet de leur gouvernement; forgé à la vieille école duplessiste, il ne pouvait tolérer aucune forme de dissidence.

* * *

Tout le monde collabora afin d'éviter que le parti ne se brise sur un tel écueil. Que fera Maurice Bellemare lors de la convention devant choisir un nouveau chef?

6 *Une convention*

M. Bertrand s'absenta du Parlement jusqu'au 27 janvier 1969; il prenait un repos au sud des Etats-Unis. En son absence, la commission sur l'Education commença ses séances; plus de 50 organismes demandèrent à témoigner; ils étaient majoritairement anglophones. Aucun ne voulait du projet de loi no. 85 et chacun, évidemment, pour des raisons opposées: ou parce qu'il ne protégeait pas assez les droits de la minorité ou parce qu'il négligeait les droits menacés de la majorité. Les thèses variaient de l'unilinguisme le plus intégral au bilinguisme officiel.

A la fin mars, M. Bertrand décida de laisser tomber le projet de loi; il le renvoya à la commission Gendron afin qu'il soit intégré à l'ensemble des recherches de la commission royale. "C'est un bébé dont personne ne veut", avoua enfin le Premier Ministre. Tout le monde était soulagé, le cauchemar s'était dissipé; on pouvait enfin respirer en paix.

* * *

Fin janvier, M. Cardinal et M. Beaudry firent un voyage retentissant à Paris et à Londres; dans la capitale française, on reçut M. Cardinal comme un vrai chef d'Etat avec tous les apparats d'usage; dîner à l'Elysée, rencontre officielle avec le Président et avec plusieurs ministres. Les journaux anglophones de tout le

Canada ne manquèrent pas l'occasion de décrier la chose; ils avaient encore à l'esprit la fameuse visite du Général; les journaux canadiens-français voyaient l'ensemble d'un bon oeil. M. Cardinal signa ou des accords ou des ententes avec les autorités françaises et M. Dozois, premier ministre intérimaire de déclarer à la presse que M. Cardinal n'avait aucune autorisation du cabinet pour signer quoi que ce soit. Cela créa certains remous dans le parti et à l'extérieur. Cette attitude de M. Dozois en blessa plusieurs et même en révolta quelques-uns. Etait-ce un piège qu'on tendait à M. Cardinal, alors qu'on sentait que les relations avec la France commençaient à poser des problèmes? On le délègue à Paris, et cela sans aucun pouvoir, disait-on, et quand il signe ces ententes ou ces lettres d'intention, on affirme de Québec qu'il n'a aucun mandat. Cela apparaissait comme un croc-en-jambe de mauvait goût. M. Cardinal ne trébucha pas et resta solide sur ses deux pieds, et son prestige personnel n'en fut pas pour autant diminué. Après la crise, M. Bertrand avoua, en Chambre, que le Conseil des Ministres avait procuré un mandat à M. Cardinal non pour signer des accords, mais bien pour parapher des lettres d'intention. Pourquoi M. Bertrand ne s'est-il pas rendu lui-même à Paris? Ne lui appartenait-il pas de faire ce voyage? Il est vrai qu'il évitait toujours les querelles et les conflits et qu'il préférait se cantonner dans sa propre juridiction provinciale. Pourquoi a-t-on délégué M. Cardinal, et pourquoi ces malheureuses déclarations de M. Dozois? Mais je n'étais pas dans le secret des dieux du Conseil des Ministres ni dans le secret des relations Québec-Ottawa. La visite de M. Cardinal à Paris fut quand même pour lui un succès personnel et renforça sa position de prestige comme candidat à la direction du parti.

Tout au long des péripéties de ce retentissant voyage à Paris, nous eûmes l'occasion de constater une fois de plus l'ineptie des scribouilleurs de la presse anglophone; aussitôt que le Québec lève la tête quelque peu, ils perdent le nord et le prétendu sang-froid anglo-saxon tourne au chaud. Et M. Trudeau de rentrer dans le jeu (j'oublie toujours que ce sont eux qu'ils l'ont élu). M. Bertrand assistait à tout cela, calme et détendu.

* * *

Eut lieu la conférence constitutionnelle, à Ottawa au début de février: même scénario, mêmes dialogues, mêmes monologues du Québec sur sa conception des deux nations et même soliloque de M. Trudeau; donc même incompréhension et mêmes résultats que d'habitude.

Deux autres conflits Ottawa-Québec survinrent au printemps 1969: l'affaire du Parc Forillon et celle de l'aérogare de Ste-Scholastique. Marcel Masse se battait seul, absolument seul, pour sauvegarder la souveraineté du Québec sur ses territoires et à la fin il perdit le combat. Robert Lussier a mené une lutte personnelle pendant des mois pour faire respecter les besoins et les droits réels du Québec dans cette affaire capitale pour l'avenir de nous tous. M. Bertrand s'est débattu pendant quelques jours seulement. Le rouleau-compresseur fédéral se faisait sentir de plus en plus; il avançait pouce par pouce et personne ne semblait assez fort pour arrêter cet engin qui nous étouffait de plus en plus. On se croyait revenu aux jours les plus sombres d'Adélard Godbout où tous nos droits s'envolaient sans que personne ne s'en soucie. C'est durant ces heures que l'absence de Daniel Johnson se faisait sentir aussi bien en Chambre et dans le parti, que dans nos négociations avec Ottawa. L'opposition libérale ne bougeait pas: solidaire de la politique de Trudeau, elle réagissait faiblement. Les libéraux pensaient à la prochaine campagne électorale: ils ne tenaient pas à se mouiller les pieds.

* * *

Au souper-bénéfice du 23 février, dont les billets de $50.00 furent payés par les fournisseurs habituels de la caisse, puis distribués aux militants les plus méritants du parti, M. Bertrand exprima le voeu de faire confirmer son autorité par un congrès. Cela réglait un épineux problème car plusieurs craignaient qu'il n'y en ait point.

Le 3 mars, eut lieu l'élection partielle de Dorion où Mario Beaulieu fut élu. Dès le départ, la victoire lui était presqu'assurée; toute l'organisation du Grand Montréal s'était donné rendez-vous dans ce comté où les libéraux, de plus en plus divisés, ne firent qu'une lutte de surface. L'ancien chef de cabinet de M. Johnson remporta l'élection par plus de 2500 votes de majorité dans ce comté libéral laissé vacant par la démission de François Aquin. Fait à souligner, il y eut un grand nombre d'abstentions.

* * *

M. Laporte était un parlementaire astucieux, de longue expérience procédurière. Le mercredi 5 mars, il présenta une motion de blâme, qui devenait un amendement à la motion principale que M. Lesage avait présentée le 27 février précédent. La motion Laporte se lisait comme suit: "Cette Chambre regrette que les querelles intestines du gouvernement, son immobilisme, son refus d'assumer ses responsabilités aient privé cette province d'un leadership essentiel, spécialement aux heures graves que nous vivons actuellement". (1) Cette motion fut présentée exactement dix jours avant le Conseil National du parti. Elle forçait nécessairement beaucoup de nos députés à affirmer qu'il n'y avait aucune lutte intestine à l'intérieur du parti, que le gouvernement avançait dans sa législation et qu'il y avait un réel leadership sous la direc-

(1) Sept mois plus tard, il se présentait comme candidat à la direction de son parti. Il s'y préparait depuis longtemps.

tion de M. Bertrand. Assez curieusement, ce dernier demanda à M. Jean-Guy Cardinal de s'exprimer au nom du gouvernement pour répondre adéquatement à cette motion de blâme. C'était un beau piège tendu à M. Cardinal, piège qu'il a dû sans doute voir: il se devait de louer le leadership du gouvernement, c'est-à-dire, celui de M. Bertrand; ce qu'il ne fit pas. Il parla surtout de lui-même. C'était son premier discours en Chambre et il n'avait pas eu le temps de se préparer suffisamment; il fut plutôt faible. Y a-t-il eu manigance? Le gouvernement était-il de connivence avec l'opposition? Je l'ignore et je ne le saurai jamais; mais chose certaine l'opposition libérale tenait étrangement à conserver M. Bertrand comme chef du parti de l'Union Nationale. Le vote sur la motion Laporte s'est pris le jeudi 13 mars, deux jours avant le Conseil National. Cardinal avait raté l'occasion unique de se faire valoir; à partir de ce moment-là plusieurs craignirent de le suivre à cause de sa faiblesse en Chambre. M. Bertrand, très bon "debater" avait très bien répondu à la motion Laporte. Il avait derrière lui 21 ans de vie parlementaire et M. Cardinal, exactement 11 jours de présence dans cette boîte. Comment pouvait-il rivaliser avec son futur adversaire sur ce terrain. C'est à ce moment-là, je pense, que la majorité des députés opta intérieurement pour M. Bertrand. Exceller en Chambre ne veut pas dire grand-chose; on l'a bien vu avec M. Laporte qui valait 10 fois, 20 fois M. Bourassa comme parlementaire et cela n'a rien donné. Les députés, enfermés dans ce vase clos qu'est le Parlement se fabriquent des opinions erronnées sur la valeur réelle des hommes et des événements; les résultats électoraux apportent souvent bien des surprises.

Puis vint ce fameux Conseil National qui devait trancher la question, à savoir s'il était souhaitable ou non de tenir un congrès à la chefferie et si oui, à quelle date il devrait avoir lieu. Ce qui me reste de cette grande réunion (où trois personnes par comté étaient déléguées), c'est l'habileté avec laquelle Christian Vien, homme-clé du parti à Québec, mena l'assemblée. Il apparaissait évident qu'il la conduisait selon des directives reçues? "Veut-on un congrès? demanda-t-il à l'assemblée après qu'il l'eut bien préparée; et celle-ci de répondre en choeur: "oui".

Il fut établi que la convention aurait lieu à la fin de juin. Les dirigeants avaient décidé de cette date. Avant le lunch, quelques députés et ministres avaient opté pour l'automne, époque favorable à cause de l'absence de session; mais après le repas, les "principaux ministres" défendirent la thèse du mois de juin. Etait-ce pour ne pas laisser le temps à Cardinal de se faire valoir? Quand, à la fin, le président de l'assemblée demanda: "Quand fait-on la convention? ", l'assemblée de répondre en choeur: "Au mois de juin." A l'arrière de la salle, on dirigeait les applaudissements selon le minutage prévu par le scénario.

M. Bertrand annonça sa candidature et eut au début de son discours des paroles quasi prophétiques: "Souverainistes, quittez le parti et joignez-vous au Parti Québécois; et ceux qui sont pour le statu quo, allez au parti libéral." Or c'est ce qui arriva exactement le 29 avril 1970; les souverainistes quittèrent l'UN et les fédéralistes allèrent du côté du Parti Libéral (une partie aussi vota pour les créditistes); le nombre de sièges passa de 55 à 17, perdant ainsi 21% du vote populaire.

Pourquoi M. Bertrand s'en prenait-il aux nationalistes? Il a toujours manifesté de l'agressivité à leur égard: stigmate d'un ancien libéral en rupture de ban.

* * *

On ouvrait le jeu; M. Bertrand était de la course; on souhaitait une forte concurrence pour donner du poids au vainqueur. Au début de mai, M. Bertrand offrit un cocktail à tous les parlementaires: il lançait sa campagne électorale. Fort de l'appui de 41 ministres et députés, il possédait tout ce qu'il fallait pour décourager les aspirants les plus audacieux. Il partait gagnant et lançait, d'un seul coup, tous ses atouts dans la joute. Personne ne la prévoyait aussi longue et aussi dure. M. Jean-Guy Cardinal annonça sa candidature quelques jours plus tard; ses seuls appuis: deux ministres, Jean-Noël Tremblay et Jean-Marie Morin et trois députés, MM. Grenier, Flamand et moi-même; donc cinq parlementaires contre le reste de la députation. Nous devions nous battre 1 contre 8.

Durant toute sa campagne, M. Bertrand afficha une tranquille assurance; il ne douta pas, ai-je su, un seul instant de sa victoire. Quant à l'organisation de sa campagne, il s'en remettait entièrement à ses organisateurs, les meilleurs étant avec lui.

Le nombre de votants s'élevait à 2324; pour remporter la victoire il fallait donc un minimum de 1163 votes. Tout est là, le reste, surtout pour un parti au pouvoir, c'est de la dentelle: fanfares, macarons, chapeaux, mouchoirs, spectacles, défilés, discours, tout cela c'est du vent. Les organisateurs se devaient de se gagner 50% plus 1 du vote des délégués-électeurs; nous le comprîmes assez vite. 5 députés contre 41 au départ, en fait, contre un Premier Ministre en place avec presque tout son cabinet et la députation derrière lui, c'était tout un défi à relever. Nous nous cherchions des alliés pour gagner cette bataille. Nous en eûmes plus que n'avait prévu le groupe adverse. Le premier allié s'avéra être le mécontentement: tous les insatisfaits, tous ceux-là qui n'avaient pas obtenu ce qu'ils désiraient vinrent à nous, en général. Il y eut aussi tous les nationalistes du parti; M. Cardinal avait ouvert la porte à toutes les options: "Les fédéralistes, les nationalistes et les souverainistes, tous sont les bienvenus dans mon groupe", disait souvent M. Cardinal alors que M. Bertrand avait exclu les derniers. Une partie importante des cadres de l'UN se rallia à nous.

A cause de leur nationalisme, la majorité des jeunes se groupait autour de M. Cardinal, mais quelques organisateurs du clan Bertrand poussèrent le cynisme jusqu'à les inviter à voter pour M. Bertrand sous prétexte que son fédéralisme buté tout comme celui de M. Trudeau, ne pourrait que précipiter l'avènement de l'indépendance. Il fut fort surprenant de constater à quel point les jeunes mordaient à l'hameçon. Parmi les délégués qui s'étaient tout d'abord prononcés pour Cardinal, quelques-uns votèrent pour M. Bertrand, au nom de cette bizarre stratégie électorale. Il était assez décevant de mesurer l'inconséquence de ces jeunes délégués vis-à-vis l'enjeu de la convention qui était le choix de celui à qui on allait remettre le sort du Québec.

Quand M. Bertrand passa le bill 63, ceux qui, lors de la convention de l'UN, avaient déposé un vote stratégique apprirent au détriment de la nation à quel point un vote de cette nature est risqué et hasardeux. Tout au long de la campagne, il était triste de constater que des délégués, des députés et des ministres ne pensaient qu'à leurs intérêts personnels alors que le nouvel élu pourrait dès le lendemain du vote nous refiler entre les pattes une réplique de la formule Fulton-Favreau ou un autre bill 85 et ainsi compromettre sérieusement tous nos espoirs.

M. Bertrand était le favori de ces dames; il leur inspirait confiance; plusieurs d'entre elles m'ont répété cet incroyable slogan qui courait chez les délégués du clan Bertrand: "C'est à son tour, cette fois-ci". Que répondre à une telle ineptie?

* * *

A cause des difficultés du système actuel, un parti trop bien organisé devenait une source illimitée de patronage. Aussi

M. Johnson avait-il tardé à restructurer le parti. Très peu de personnes renouvelaient leur carte de membre; les associations n'existaient que dans très peu de comtés. Cela était dû aussi au fait que l'Union Nationale a toujours été un parti de traditions, beaucoup plus que de structures; le chef a toujours été plus important que les cadres et les associations. On a toujours eu le culte de l'autorité dans cette formation politique.

Il fallait quand même se choisir des délégués parmi les membres, ce qui était toute une difficulté. Chaque comté devait s'élire 21 délégués. Et le noyau de la convention, comme toutes les autres, comme celle du parti libéral provincial ou fédéral, résidait essentiellement dans le choix de ces délégués. A Montréal surtout, chacune des organisations préparait une liste pour chaque comté; celui qui réussissait à réunir dans une salle le plus grand nombre de "Bertrand" pouvait faire élire ses délégués; et inversement pour le groupe de Cardinal. A certains moments, on dépassa les bornes de l'indécence: on remplissait une salle de militants favorables à un candidat puis on fermait la porte pour tout de suite passer au vote et le tour était joué. Dans un cas, on annonça que le choix des délégués se ferait dans telle salle et à telle heure; à la dernière minute on changea le lieu de la rencontre pour procéder au vote le plus rapidement possible.

L'affaire prit les manchettes des journaux et ébranla le parti pour un bon moment. Certains organisateurs n'éprouvaient aucune répugnance à compromettre leur candidat.

Des députés et des ministres laissèrent le choix se faire selon les règles de la démocratie et n'influencèrent en aucune façon le vote des délégués de leur comté. D'autres agirent d'une façon différente; plusieurs parmi eux faisaient de la politique depuis dix ans ou vingt ans...

Au début de juin, la liste des délégués était complétée. Chacun des deux clans s'attribuait un fort pourcentage de ces 2324 votes possibles; de notre côté, nous étions optimistes, il était question de 1400 votes déjà acquis. La confiance régnait dans les deux camps; chaque député se vantait de contrôler 15 ou 18 ou même les 21 votes de son comté.

* * *

Une lutte à la chefferie se révèle toujours très dure mais une lutte à la chefferie au sein d'un parti au pouvoir devient impitoyable; les arguments sont forts et persuasifs. Après l'élection des délégués, en plus de conserver les délégués soi-disant favorables, il nous fallait en recruter d'autres et les organisateurs du clan Bertrand avaient en main tous les arguments du pouvoir...

En général, chacun des députés connaissait l'option des 21 délégués de son comté; certains députés réussirent "ce tour de force" de convaincre tous leurs délégués de voter pour le candidat de leur choix; d'autres, les ayant choisis au début, les perdirent en cours de route ou par pression ou par persuasion.

Ce congrès coûta cher aux fournisseurs habituels de la caisse électorale; le coût d'une candidature aujourd'hui, que ce soit celle de M. Laporte, de M. Wagner, de M. Bourassa, de M. Cardinal, de M. Bertrand ou de M. Trudeau, se situe entre $200,000 et $500,000 sans parler des dépenses du congrès lui-même. Certains fournisseurs rouspétaient, las d'assumer les frais de la démocratie...

* * *

Quelle allure prenait cette course à la chefferie? Elle avait, c'est évident, un caractère idéologique. M. Cardinal se situant dans la pensée de M. Johnson se disait ardent nationaliste et les indépendantistes se sentaient à l'aise avec lui; tandis que M. Bertrand les pressait de partir. Dans un interview au Devoir, celui-ci avait déclaré que c'était "au Canada et dans le Canada" qu'il voulait oeuvrer. De plus, il avait ajouté cette curieuse précision: "Je suis issu d'une famille libérale et je suis d'esprit libéral." Durant la campagne, quelques-uns d'entre nous exploitèrent cette malencontreuse déclaration ainsi que certaines de ses nominations "rouges". Plusieurs s'interrogeaient sur la présence de M. Bertrand dans l'UN, le parti libéral semblant être son milieu naturel; il appartenait à un comté de près de 25% d'anglophones.

Les débats de la campagne portèrent aussi sur une certaine conception du pouvoir et de l'administration. M. Cardinal optait pour un Parlement complètement renouvelé et libéré de traditions qui ne correspondent plus au besoin d'un Etat moderne; il se disait en faveur d'un gouvernement fort et dynamique où le technocrate ne prenait pas le pas sur le politique; les militants entendaient ces paroles d'une autre façon. D'esprit moderne, M. Cardinal accordait la priorité au rendement et à l'efficacité et il avait organisé son cabinet en conséquence.

A cette convention, on se livrait, surtout, à une lutte de pouvoir. Les deux factions du parti s'affrontaient pour s'emparer de cette chose qu'est le Pouvoir. Le clan Cardinal tentait de l'enlever au clan Bertrand qui s'y agrippait fermement. Les ministres et les députés qui soutenaient M. Bertrand craignaient pour l'avenir. Que ferait M. Cardinal avec eux tous? Quelques-uns parmi eux ne désiraient pas d'élections avant 1971, l'année de leur démission; Cardinal aurait déclenché des élections une fois élu et cela aurait raccourci leur mandat et diminué leurs fonds de pension. Pour eux, M. Bertrand, représentait l'expérience, certes, mais aussi la sécurité. Cardinal était l'homme nouveau, énigmatique dont on ne pouvait prévoir les mouvements; la seule chose dont on était sûr, c'était son ambition et son assurance; on craignait surtout son manque d'expérience; chacun jugeait pour l'immédiat, en fonction de sa carrière propre et du parti; très peu en fonction du Québec.

* * *

Malgré tout le poids de la presque totalité du cabinet et de la députation, malgré la faveur de la plus forte partie de l'organisation et bien qu'il ait eu tous les arguments du pouvoir à sa disposition, M. Bertrand n'obtint que 57% du vote. Il avait espéré beaucoup plus et la victoire devenait relative et significative de l'avenir.

La campagne avait écartelé le parti; et quand le résultat fut connu, on entendait dans la salle: P.Q., P.Q., P.Q. C'était comme un bruit sourd qui se propageait dans tout le Colisée; une partie des militants de l'UN venait de changer de famille politique. Ce parti moribond reçut son coup de grâce quatre mois plus tard avec la présentation du projet de loi 63.

* * *

Durant toute cette période de la course à la chefferie, les libéraux ne ratèrent aucune occasion d'attaquer Jean-Guy Cardinal en Chambre; ils le craignaient comme futur chef de l'UN. Quelques-uns m'avouèrent que selon eux Cardinal serait beaucoup plus difficile à battre et que s'il passait à la convention, ils seraient obligés eux aussi de changer de chef; ce que plusieurs se refusaient d'envisager. C'est pourquoi, à tous les jours, du lundi au vendredi, ils harcelèrent M. Cardinal de questions et de problèmes: c'étaient les grèves, l'affaire de Saint-Léonard, les dettes des commissions scolaires, etc... On lui tendait toute sorte de pièges pour le faire trébucher alors qu'on ne touchait pas au Premier Ministre à ce point qu'un jour J.-N. Tremblay leur lança:

"Continuez, vous faites sa publicité." A partir de ce moment, on se montra plus discret et on le laissa souffler un peu.

Le soir de la victoire de M. Bertrand, les libéraux se réjouirent d'avoir gagné "leur élection."

* * *

Où M. Bellemare se situait-il dans cette course à la chefferie? Les deux camps se le disputaient; jusqu'à la fin il refusa de se départir de sa neutralité affirmant qu'il se réservait pour panser les blessures du congrès. J'ai toujours eu l'impression qu'il avait été tenté par la chefferie mais que son sens politique lui avait interdit un tel risque. Nous avions prié le ministre Lussier de se joindre à nous; il hésita longtemps puis trois jours avant le vote, il se rallia au groupe Bertrand.

* * *

La réalité est une chose et sa projection, parfois une autre. Vu de la TV le congrès pouvait paraître certes animé mais il était loin de laisser soupçonner toutes les pressions qui s'exerçaient, toutes les intrigues qui se nouaient et se dénouaient.

La lutte fut sans merci; elle fut plus cruelle encore que la convention de 1961. Tout le parti en fut ébranlé. Avant le congrès, tout le monde s'entendait à merveille. Mais une fois qu'il fut annoncé, les comtés devinrent la proie de profondes divisions; des régions entières s'opposèrent à d'autres. Le parti se divisa en deux factions qui se déchirèrent et s'entretuèrent; autrefois amis et confidents, ces frères devenaient des ennemis irréductibles; les serments étaient brisés; on détruisait l'adversaire dans sa réputation, on mettait en doute sa compétence, on lui rappelait ses erreurs passées. Il y eut même des complicités avec l'adversaire libéral.

On répandait de fausses rumeurs; la calomnie était à l'honneur; on brisait les règles de la plus élémentaire discrétion. On s'enfermait, à clé, dans des salles pour imposer ses délégués que l'on tenait par les promesses et le chantage. On courtisait les délégués, on les entourait, on les adulait. Les chansons-thèmes, des airs entraînants ou romantiques les poursuivaient partout; on fit appel aux chansonniers les plus aptes à toucher la sensibilité féminine; certains sont venus de France; d'autres de Montréal; on eut recours aux super-vedettes de hockey. On retint les services des meilleurs journalistes et des meilleures firmes de publicité. Une maison d'ingénieurs-analystes établit même le cheminement critique de la campagne de l'un des candidats.

Toutes ces activités, tout ce déploiement, avaient pour origine la recherche effrénée du pouvoir et de l'argent. Elles créèrent de profondes rivalités; des haines tenaces apparurent; de nouvelles amitiés se lièrent. En public, les deux candidats n'avaient pour objectif que le bien du parti et celui de la nation, alors que les militants travaillaient jour et nuit pour conserver le pouvoir ou pour le conquérir. On assénait les coups les plus bas à des collègues ou à des militants; seul le résultat de la convention importait; c'était un combat à finir entre deux adversaires déclarés. “Si je le manque, lui, il ne me manquera pas”, se disait-on.

Le clan Cardinal voulait réussir un coup d'Etat; il s'agissait en effet de cela, puisqu'un petit groupe aurait enlevé le pouvoir au gouvernement, et nous fûmes bien près de réussir; preuve évidente de l'extrême faiblesse du gouvernement d'alors. “On ne peut pas battre un Premier Ministre en place,” répétait-on souvent; pourtant, il s'en fallut de peu...

* * *

C'est dans ces périodes de grande tension que se révèle le caractère propre et souvent caché de chacun; des parlementaires unionistes des camps opposés s'engueulèrent même en Chambre; certains prononcèrent des paroles qui pour le moins "dépassaient" leur pensée, surtout après avoir connu le résultat du vote: ils durent publiquement retirer ces propos malheureux; d'autres suivirent le plus fort ou celui qui semblait le plus fort, on jouait gagnant; le mensonge et la calomnie étaient les armes favorites de quelques-uns; on se contait les peurs les plus fantastiques; deux heures avant le vote, on répétait partout: "Si Cardinal est élu, dix ministres vont démissionner." Certains participaient activement à la campagne dans le but d'obtenir un ministère par la suite; d'autres, pour conserver celui qu'ils détenaient déjà. Les fournisseurs alimentaient les deux caisses pour ne pas risquer de miser sur le perdant. Certains fonctionnaires furent mutés; des ministres rendirent de nombreux services aux délégués. La majorité des délégués du clan Cardinal (surtout les jeunes et les femmes) représentait l'élément nationaliste; quant aux délégués du clan Bertrand, ils disaient préférer leur candidat à cause de sa longue expérience; lorsqu'on demandait à quelques-uns les raisons de leur choix, ils nous avouaient candidement: "Parce que je veux ma licence". Plusieurs délégués changèrent de camp sous les multiples pressions du pouvoir: intimidation, offres d'emploi, etc..

* * *

Les discours du vendredi soir eurent une importance relative. M. Bertrand, habitué aux grandes foules, réussit le sien; M. Cardinal, orateur moyen, fit entrecouper le sien par la fanfare et finit assez pauvrement. Cela nous découragea quelque peu mais ne changea pas le résultat du vote.

Le samedi matin, très tôt, les deux équipes firent le tour de tous les motels pour une dernière tentative de persuasion; il y eut des spectacles très bien organisés dans l'après-midi et le soir, 2285 personnes choisirent celui qui devait avoir la responsabilité de tout un peuple et de tout son devenir.

M. Bertrand fut élu. Il ne lui restait que dix mois de pouvoir.

* * *

La moitié de cette grande famille politique retourna chez elle avec un peu d'inquiétude dans l'âme: elle se demandait secrètement ce que ferait l'autre moitié qui repartait, elle, démoralisée, épuisée et en partie décidée à travailler ailleurs, dans une autre formation politique.

Toute la journée du samedi, à l'extérieur du Colisée, 3000 personnes manifestaient. Les forces de l'ordre, de la discipline et de la loi se servirent de gaz lacrymogènes pour repousser les manifestants; ce fut facile car le vent soufflait dans la bonne direction. Et les canaris se dispersèrent.

LES CANARIS

Lorsque les mineurs et les marins descendent au fond des terres et des mers, ils apportent avec eux des canaris; et quand dans les mines et les sous-marins, l'oxygène commence à se raréfier, les canaris se mettent à chanter, avertissant ainsi les occupants qu'il y a danger d'asphyxie. Les marins et les mineurs vouent presqu'un culte à ces petits êtres dont la perception rapide de la désoxygénation les sauve de la mort.

Toute société possède elle aussi ses canaris, ses contestataires dont les cris d'alarme indiquent que les systèmes sont pourris, que la désintégration sera inévitable si l'on ne procède pas à des changements.

* * *

Fidèles à leur mission, ces canaris des sociétés, tels des feux-rouges qui s'allument, surgissent en tout temps et en tout lieu pour indiquer le danger.

C'était au Viet-Nam, ces bonzes qui, sur la place publique, se laissaient brûler vifs afin de protester contre l'oppression exercée sur leur peuple. Mais l'incroyable inconscience de Mme Nhu, ridiculisant avec le plus méprisant des sarcasmes leur geste désespéré, les comparaît dédaigneusement à des B-B-Cue; cependant, quelques temps après, toute la famille de Mme Nhu était anéantie et son pays devenait le plus grand foyer d'incendie du monde actuel.

Les canaris des sociétés intuitionnent d'une façon étrange et personnelle les dangers qui menacent leur collectivité. Alors comme certains animaux avant l'orage, ils s'énervent et s'agitent mais seuls les sages savent y reconnaître le signe des temps nouveaux.

* * *

Ici, au Québec, on traite nos canaris d'anarchistes, d'agitateurs, de trotskistes, de communistes, de maoistes, de barbus, de crottés, etc. On dit que ce sont des séditieux qui veulent détruire l'ordre établi et saper les fondements d'une société dans laquelle on se prétend heureux et bien nourri. Mais au contraire de ce que l'on croit, c'est justement afin d'éviter un désordre plus grand que les canaris préfèrent la justice à un ordre qui n'est qu'apparent. En fait, ce sont les gardiens de l'ordre réel et telles des sentinelles, ils font le guet et épargnent aux sociétés qui savent les entendre de bien grands maux.

Si en descendant dans leurs mines, les mineurs n'apportaient pas avec eux leurs canaris, ils se montreraient inconséquents et irresponsables. Pourtant, certains chefs d'Etat ont emprisonné leurs canaris, d'autres même les ont tués. C'est grave quand il n'y a plus de canaris...

Le peuple est parfois lent à comprendre le chant des canaris; on lui en dit tellement de mal. Mais il ne faut pas sous-estimer son intuition qui finit toujours par tout saisir.

Ceux qui sont occupés à brasser des millions ne sont sensibles qu'à un certain bruit métallique; ils détestent cette note discordante qu'est pour eux le chant des canaris.

Ceux qui sont confortablement installés dans leur somptueuse résidence à air tempéré se croient bien pourvus d'oxygène mais ils n'entendent pas le chant des canaris.

Ceux qui ne pensent qu'en fonction d'efficacité et de rentabilité ont la tête pleine de chiffres et de statistiques et sont sourds à leur chant.

Et ceux qui sont là pour assurer un ordre qui n'est qu'apparent sortent vite leur code de loi lorsqu'ils les entendent afin de les faire taire au plus tôt.

* * *

Au Québec, il y a eu des canaris, il y en a encore qui nous indiquent que la nation court un grave danger; on les poursuit pour sédition et on les emprisonne. Leur liberté leur est chère mais, afin que leur peuple tout entier puisse vivre un jour à l'état libre, ils continuent de chanter.

Bien avant une célèbre Saint-Jean-Baptiste, les canaris chantaient au Québec. Ils chantèrent en septembre 1969 à Saint-Léonard; ils chantèrent lors de l'épisode du bill 63 et toujours on les poursuivait.

Les canaris chantent de plus en plus depuis l'avènement du gouvernement libéral.

Il faut vite comprendre la signification du chant des canaris afin que le Québec n'ait pas à faire entendre son chant du cygne.

7 Le bill 63

L'été 69 n'apporta qu'une courte trève aux luttes intestines de l'Union Nationale. M. Bertrand, exténué par sa campagne à la chefferie, dut s'accorder quelques temps de repos tandis que les militants du clan Cardinal se regroupaient au tour du candidat défait dans des réunions publiques; Cardinal était, ou mieux, incarnait la seule raison de leur appartenance à l'UN; plusieurs ont rêvé et même essayé de fonder un nouveau parti. Cette tentative fit long feu; elle dura un mois. Cardinal rencontrait ses militants aux Clubs Renaissance de Montréal et de Québec; il voulait organiser des tournées dans tous les comtés; l'enthousiasme était grand et les illusions, persistantes, plus que normales. "M. Bertrand ne dira plus qu'il n'y a pas de place pour les souverainistes dans l'UN," affirmait à Montréal le candidat Jean-Guy; et Jean-Noël de se déclarer, à Québec, "séparatiste de coeur"; Jean-Jacques, lui, se taisait et rêvassait sur les plages ensoleillées du Maine.

Si dans l'UN la querelle idéologique continuait de plus belle, de graves conflits de personnalités s'annonçaient au sein du Parti Libéral. Wagner réclamait à grands cris une convention à la chefferie mais, craignant une défaite possible, Lesage tentait d'en retarder l'échéance; il aurait accepté toutefois de faire ratifier son autorité de chef de parti par un scrutin secret au congrès libéral annuel qui devait avoir lieu à l'automne suivant. C'était mettre toutes les chances de son côté, car dans de telles conditions sa confirmation comme chef de parti lui aurait été presqu'assurée; il s'agrippait désespérément à son poste. Pierre Laporte, de son côté, se rendait à Ottawa afin de tâter le pouls de ses amis. Wagner, de plus en plus exaspéré, réclamait toujours sa convention.

Le jeudi 17 juillet, nous eûmes un caucus à la Bastogne, au Motel des Laurentides, trois ans et demi après celui de juin 66; l'atmosphère n'était plus la même; tout était changé.

M. Bertrand profita de l'occasion pour nous annoncer qu'il ne se tiendrait pas d'élection générale en 69, mais seulement des élections partielles. Ce grand démocrate refusait de faire plébisciter son mandat. Politiquement, il fit à mon avis une grave erreur en ne déclenchant pas des élections générales tout de suite; lui aussi s'accrochait désespérément au pouvoir. Il est vrai que plusieurs députés et ministres ne désiraient pas d'élection avant 71 parce que cela allongeait leur terme d'un an et demi: question de salaire et de pension. Ils détenaient le pouvoir; pourquoi donc risquer de le perdre tout de suite?

M. Paul Dozois, la voix tremblante et étouffée par l'émotion, (la première fois de sa carrière politique) nous annonça qu'il se retirait de la vie publique pour des raisons de santé, peu de temps après, il fut nommé commissaire à l'Hydro-Québec. Le parti venait de perdre son plus solide pilier. Son départ sera bientôt suivi de celui d'Edgar Charbonneau, nommé quelques temps plus tard à la Régie des Autoroutes.

A ce même caucus, Rémi Paul, alors secrétaire de la Province, révéla son vrai visage; il fit une violente sortie contre Michel Chartrand qui, selon lui, devrait être poursuivi pour sédition ainsi que tous ceux-là qui troublaient la paix publique. (Il avait sur le coeur la marche que firent les 3000 ouvriers sur le Colisée, lors du congrès UN). C'était une charge contre les syndicats, contre les Lemieux, les Chartrand, contre tous ces "fauteurs de troubles au Québec"; il fallait une fois pour toutes, disait-il, que le gouvernement affirme son autorité (Il fut nommé ministre de la Justice quatre jours plus tard) [1] . M. Bellemare y alla comme d'habitude d'un long discours sur le parti et sur le rôle des députés; il prodigua ses conseils à tout le monde, sans oublier le Premier Ministre à qui il recommandait entre autre de faire des tournées dans tout le Québec. (M. Bertrand en fit deux, une à Senneterre et l'autre, aux Iles de la Madeleine, lesquelles s'avérèrent presque des fiascos). M. Bellemare, homme de grande expérience, sentait bien que tout allait en se désintégrant et il tentait de revigorer ce vieux parti qui avait perdu son âme.

C'est à la même époque que M. Bertrand changea certains hommes-clés, à l'O.I.P.Q., aux finances du parti, à son propre cabinet; il organisait son propre gouvernement. Il laissa presque tomber l'organisation de Montréal et il mit sur pied un comité politique qui fut à vrai dire inopérant.

Pendant la fin de semaine du 4 août, tandis que M. Trudeau s'amusait ferme comme toujours à Péribonka, avait lieu la conférence inter-provinciale qui se devait d'être "une prise de conscience collective". Le jeune Premier Ministre du Manitoba, Edward Schreyer, parlait de cette réunion des dix Premiers Ministres

---

(1) Par la même occasion Mario Beaulieu hérita du Ministère des Finances.

comme d'un club sélect et d'une société rare; Québec les a bien reçus: et ce ne fut qu'une réunion mondaine.

Le 9 août, une bombe éclatait à Ville Mont-Royal et une autre le dimanche 17 août à l'édifice Delta du Ministère du Travail à Québec. M. Bertrand parla alors de castristes barbus et affirma: "Nous répondrons à la violence par la force." Le raidissement du gouvernement s'annonçait déjà.

M. Charbonneau et M. Dozois ayant démissionné, M. Bertrand déclencha des élections partielles dans Ste-Marie, St-Jacques, Trois-Rivières et Vaudreuil-Soulanges pour le 8 octobre. Il apparaissait évident pour tous les observateurs politiques que le Premier Ministre retardait de plus en plus les élections générales. Les ennemis de M. Lesage commençaient à comprendre et à ajuster leur tir en conséquence. J.-P. Lefebvre, que M. Lesage avait parachuté à Ahuntsic en 66, dans un premier geste, animé par je ne sais quel démon fédéral, se mit à attaquer durement Wagner, le déclarant inapte à remplir la fonction de chef du Parti Libéral; puis il contesta la chefferie de M. Lesage et présenta Jean Marchand comme candidat possible et même souhaitable. Deux jours après, Jean Lesage démissionnait avec fracas. On affirmait alors que Jean Marchand se trouvait à Québec à cette période et qu'il attendait les effets de sa mise en orbite par M. Lefebvre. Si M. Marchand a réellement désiré s'emparer de la succession de Lesage, on doit dire que, pour ce faire, jamais manoeuvres et combines ne furent plus maladroites et plus grossières. Chez presque tous les parlementaires libéraux du Québec, la réaction fut unanime: on s'opposa à la venue du ministre fédéral. Il est heureux que Marchand ait raté son petit coup d'état.

M. Lesage annonça une convention pour la mi-janvier qui serait, "contrairement à celle de l'UN, austère et sérieuse"; c'était à voir.

* * *

Dans une de ses tristement célèbres déclarations, Rémi Paul condamnait de façon inacceptable les activistes du Québec: "Ce sont des invertébrés rampants... qui ne sont même pas des êtres humains... et qui iraient jusqu'á vendre leur mère." Des propos aussi provocateurs et grossiers étaient inadmissibles de la part d'un ministre de la Justice et tous les observateurs politiques condamnaient ce "langage de charretier" pour employer l'expression de M. Ryan. Rémi Paul était parti en guerre et aucun de ses collègues ne disait mot; ils l'encourageaient même. M. Bertrand, ne semblant pas se rendre compte à quel point son ministre de la Justice devenait un élément provocateur, le laissait aller, car cela plaisait aux gens de l'Establishment et calmait une partie des organisateurs, des militants, des députés et des ministres qui voulaient mettre fin au désordre. "Je veux doubler Wagner sur son propre terrain," nous disait Rémi Paul. A ma connaissance, jamais M. Bertrand ne l'a blâmé pour ses déclarations insensées. Tout cela me fait penser, après coup, aux déclarations de Spiro Agnew qui semble dire tout haut ce que pense tout bas le Président Nixon. Les collègues répétaient à Rémi Paul: "Continuez comme ça et dans six mois vous deviendrez Premier Ministre;" et ce dernier de boire ces propos enivrants. Il semble que pour remédier à son manque de leadership le gouvernement Bertrand ait trouvé heureuse cette trouvaille: Rémi Paul s'improvisant chef de police, alors qu'en fait il fut l'un de ceux qui contribuèrent le plus au mauvais renom de ce gouvernement. Il était devenu semblable à ce "provocateur-général" que nous avions si bien connu sous le régime Lesage.

* * *

L'affaire de Saint-Léonard continuait d'ennuyer tout le monde et les Anglais. Cardinal dut rencontrer les parents anglophones pour régler ce problème des classes de la première année;

des classes privées avaient fonctionné toute l'année, mais à la fin les fonds manquaient.

Cardinal leur proposa une solution: le ministère de l'Education subventionnerait les institutions privées qu'on voudrait bien organiser et cela jusqu'à 80% du coût au terme de la loi no. 56 qui venait d'être votée au printemps; et ces institutions seraient reconnues par le gouvernement; il promettait en plus une loi sur la restructuration scolaire de l'Ile de Montréal. Or ni les gens du MIS ni les anglophones ne furent satisfaits de cette solution. Ceux du MIS, parce que le gouvernement reconnaissait officiellement l'enseignement de l'anglais à St-Léonard et que le truc ou l'astuce du bill 56 était une échappatoire pour passer à côté du vrai problème linguistique qui se posait à St-Léonard; les anglophones étaient mécontents parce qu'on ne les reconnaissait qu'à 80%. Le mardi 3 septembre à l'école Jérôme le Royer, les organisateurs du MIS firent un grand ralliement qui se termina en bagarre générale. Les Anglophones et les Italiens s'y rendirent et ce fut une bataille en règle; le maire Ouellette, relié à l'Establishment anglo-italien, demanda en anglais, à la foule surexcitée, de retourner chez elle. Et Robert Beale, représentant de ces parents anglophones, qui refusaient la solution Cardinal, évoquait la possibilité d'un recours à la violence si ses revendications n'étaient pas écoutées.

La Commission scolaire proposa alors une autre solution: pour tous les requérants, il y aurait dès la première année, une heure d'anglais par jour, comme langue seconde; pour ceux de la deuxième année, venant des classes privées, il y aurait un cours spécial adapté à eux; de la troisième à la septième, ce serait le statu quo, c'est-à-dire, des classes bilingues; l'enseignement du français serait prioritaire et progressif. C'était une formule provisoire: Beale refusa cette deuxième proposition.

La formule de la Commission scolaire fut appliquée pour la rentrée du 8 septembre; plus de 60% des néo-québécois s'inscrivirent aux cours réguliers de St-Léonard.

Le mercredi 10 septembre, les dirigeants du MIS organisèrent un défilé pour rendre hommage au courage et à la détermination des commissaires qui avaient pris cette décision; ils ne purent obtenir l'autorisation du chef de police de la ville pour cette manifestation. Le tout se termina encore une fois par une bagarre générale et le maire proclama la loi de l'émeute; le 12 septembre, quelques personnes comparaissaient devant le tribunal et étaient mises en accusation.

Ce défilé et ses conséquences fâcheuses eurent de nombreuses répercussions au niveau gouvernemental évidemment et dans tout le monde anglo-saxon du Canada. Le même problème allait se présenter pour le Dawson College où des gens de St-Henri se rendirent pour manifester, ainsi qu'à Namur...

Stimulé par ces derniers événements, le gouvernement Bertrand se raidissait de plus en plus: il entendait prendre des mesures pour rétablir l'ordre.

En même temps, la Commission scolaire protestante de Montréal offrait de prendre les enfants de St-Léonard pour les intégrer dans ses classes. "C'est là un affront à toute la société canadienne-française," de dire M. Cardinal par l'intermédiaire de l'un de ses attachés de presse. Et M. Bertrand affirma que M. Cardinal n'avait pas affirmé une telle chose. Il y eut un chassé-croisé de déclarations contradictoires qui dura quelques jours et le tout entra dans l'ordre. Il paraissait évident que M. Bertrand et M. Cardinal voyaient le problème différemment...

De plus, les journaux anglophones s'évertuaient à diviser ces deux hommes, attaquant constamment M. Cardinal et l'accusant de laisser délibérément traîner un problème; on savait qu'il représentait une force certaine dans le cabinet et l'on voulait sa tête (cela ne tarda pas). M. Cardinal me dit un jour: "Je ne comprends pas les Anglais; ils s'imaginent que je mange tous les matins un petit anglais au petit déjeûner." M. Cardinal n'avait rien d'un raciste. Les Anglais le craignaient parce qu'il était plus difficile à manoeuvrer que M. Bertrand.

Ils faisaient donc appel au Premier Ministre, à sa modération légendaire, à son sens de la justice et à son respect des droits individuels, tout en critiquant M. Cardinal et ayant à son endroit le plus grand mépris. "M. Bertrand must act," titraient les éditorialistes du Canada tout entier; on se levait, d'une seule âme, d'un seul élan et d'une seule voix pour défendre ses droits. Et M. Bertrand a compris.

Aucun journal anglais, pourtant, ne touchait à Rémi Paul; on n'était pas intéressé à monter M. Bertrand contre son ministre de la Justice. Au contraire.

* * *

A cette époque, Fernand Grenier fit une conférence de presse où il se déclarait mécontent du statut de député et parlait encore de faire une tournée du Québec avec le ministre Cardinal; ce que celui-ci confirma quelques jours après: "Ce sera une tournée non politisée," dira-t-il. Le clan existait toujours.

* * *

A la fin du mois de septembre, Pierre-Elliot Trudeau était nommé C.R. par le gouvernement du Québec, c'est-à-dire par le ministère de la Justice (donc par Rémi Paul).

* * *

Le 17 septembre, M. Bertrand avait annoncé que le problème global de la restructuration de l'Ile de Montréal faisait l'objet d'études au Conseil des Ministres et qu'il se préparait à résoudre le problème.

* * *

Le 26 septembre, Jean Marchand refusa de se présenter comme candidat à la convention libérale de janvier, voyant sans doute que ses chances seraient nulles d'une part et d'autre part, étant de plus en plus assuré du fédéralisme "loyal" de Robert Bourassa, candidat des fédéraux. En même temps, Pierre Laporte lançait officiellement sa candidature.

* * *

Enfin Marcel Masse déclara dans un magazine que Trudeau deviendrait pire que Maurice Duplessis; [1] quelques jours après, il se fit rabrouer vertement dans un caucus par Maurice Bellemare, fils spirituel du Grand Maurice: il lui recommanda de s'occuper des négociations dans la Fonction Publique plutôt que de dire de telles sottises.

Devant toutes ces déclarations et tous ces événements M. Bertrand se taisait. Le mercredi 1er octobre, il annonça officiellement qu'une loi serait déposée pour régler la question linguistique et scolaire. Depuis quelques temps, nous nous réunissions en caucus pour étudier cette épineuse question. A ces réunions, déjà Jean-Noël Tremblay s'était définitivement rangé du côté du Premier Ministre; sa volte-face était complète et irrévocable. Cardinal, lui, au contraire, hésitait et étudiait la question; il voyait les multiples solutions possibles, il nous en montrait les

---

(1) Il n'avait pas tort.

diverses facettes et ne semblait pas prêt à embarquer. Il demeurait l'un des rares du groupe ministériel à ne pas s'intégrer et à faire un peu marche arrière. Ce ne serait qu'une question de temps: *on les aurait tous un par un jusqu'au dernier.*

Nous savions que plusieurs avant-projets avaient été étudiés au Conseil des ministres; certains hauts fonctionnaires du ministère de l'Education avaient préparé des textes mais il semble qu'ils aient tous été rejetés; apparemment des juristes du cabinet du Premier Ministre seraient responsables du projet final. De toute façon, nous étions en partie renseignés car M. Bertrand ne tenait absolument pas à répéter l'erreur du bill 85 alors que le public fut mis au courant bien avant les députés. Il avait annoncé que les résolutions finales seraient terminées dans la semaine du 7 octobre.

* * *

Les difficultés s'accumulaient pour le gouvernement Bertrand. En effet, survenait "l'arrêt" de travail des policiers et des pompiers de la Ville de Montréal, le mardi 7 octobre.

Le gouvernement, pris un peu de panique, eut recours aux bons conseils de Jean Lesage. "J'ai eu l'occasion de me rendre au bureau du Premier Ministre qui a eu la délicatesse de ne pas le mentionner. Nous avons discuté ensemble et je sais que des dispositions tout à fait particulières sont prises à d'autres niveaux [1] qu'il n'est pas d'intérêt public de dévoiler," nous avoua-t-il en Chambre. Nous savions que depuis la convention M. Lesage communiquait souvent avec M. Bertrand, tentant lui aussi de le monter contre M. Cardinal; maintenant il se rendait à son bureau et réglait les problèmes de la nation sans que nous-mêmes soyions au courant de quoi que ce soit. A partir de ce moment M. Lesage prit une telle importance que d'octobre à janvier il nous semblait

(1) L'intervention de l'armée fédérale.

être celui qui avait le plus de poids au Parlement, en partie à cause de sa démission ce qui le rendait plus libre et moins partisan et surtout à cause du manque de leadership de M. Bertrand. M. Lesage, sans aucun titre officiel, avec la bénédiction de M. Bertrand, menait le gouvernement.

Le vendredi, 10 octobre, devait se tenir devant l'Hôtel de Ville de Montréal, une autre manifestation; le gouvernement et les autorités de la ville avaient pris toutes les mesures pour contrôler la situation.

* * *

Les élections partielles eurent lieu, le lendemain de cette grève; il y eut une abstention très marquée à Montréal surtout; cela aurait dû ouvrir les yeux des dirigeants du parti. Non. Ils étaient de plus en plus aveuglés: il fallait ramener l'ordre au Québec. Et l'armée fédérale, sur place depuis une semaine, quitta Montréal, le lundi 13 octobre 1969.

* * *

Ces bombes, ces manifestations, ces grèves illégales, l'émeute de Saint-Léonard, tout cela affolait le gouvernement Bertrand et le raidissait davantage: le désordre s'accentuait parce qu'à Québec il n'y avait plus de gouvernement, il n'y avait qu'un policier.

* * *

Le rouleau-compresseur continuait d'avancer; il venait de régler le cas de Jean-Noël Tremblay. Jean-Guy Cardinal demeurait le seul ministre récalcitrant. Passerait-il le bill Bertrand, comme on le désignait alors? Nous nous rencontrions souvent MM. Flamand, Bousquet, Grenier et moi-même; nous voulions tenir jusqu'au bout et nous tentions d'établir une stratégie commune. Le mercredi soir, 15 octobre, M. Cardinal fit une déclaration publique, à la suite de quelques suggestions de M. Flamand; il affirmait que le projet de loi devrait être soumis à la Commission Gendron, au Conseil Supérieur de l'Education, à la Commission parlementaire sur l'Education et enfin au parti lui-même; cela aurait pris des mois... M. Cardinal se débattait lui aussi et cherchait des moyens de fuite et se servait de la population comme d'une alliée. C'était là la thèse de M. Flamand: M. Bertrand se devait d'avoir un mandat clair de tout le parti pour passer une telle loi.

Il était évident qu'aucun de nous cinq ne consentirait à passer cette loi; nous devinions son contenu et ses implications: nous la pressentions pire que le bill 85.

Les pressions s'exerçaient de partout; le bureau du Premier Ministre, nous disait-on, était assailli de milliers de lettres, de télégrammes demandant à M. Bertrand d'agir au plus tôt; la majorité des députés et des ministres affirmaient vouloir en finir avec l'affaire de St-Léonard, avec le clan Cardinal et avec cette petite "gang de séparatistes" qui faisaient la pluie et le beau temps; et les libéraux sommaient constamment M. Bertrand d'agir. "Quelle que soit la décision, prenez-en une," lui répétaient-ils en Chambre. Le jeudi 16 octobre, M. Laporte dit ceci: "C'est sa responsabilité, comme Premier Ministre de la *province* de jouer le sort de son gouvernement à l'intérieur même de son parti s'il le faut pour régler ce problème-là. Si par hasard, je ne veux pas dramatiser, ni essayer d'élever les uns contre les autres à l'intérieur de son parti, il se trouvait en minorité, il trouvera, de ce côté-ci de la Chambre, une *quasi-unanimité pour l'appuyer."* Il insistait avec force arguments pour que le gouvernement prenne enfin une décision: il l'entraînait dans un beau piège. Nous verrons par la suite ce que fit le tandem Laporte-Lesage, une fois Bertrand dans leur filet.

Cette offre de M. Laporte arrivait au bon moment; il savait synchroniser ses interventions. Le jeudi soir et le vendredi suivant, les 16 et 17 octobre, il y eut conseil des Ministres pour terminer le troisième et dernier avant-projet. Que s'est-il passé? Je l'ignore. Qui préparait et rédigeait les textes définitifs? Je l'ignore encore; de toute façon l'engin compresseur avançait toujours et M. Bertrand attendait.

* * *

Le vendredi 17 octobre, Robert Bourassa annonçait officiellement sa candidature; et le dimanche, 19 octobre, M. Trudeau criait à tous ses militants: "Finies les folies." M. Bourassa a compris et M. Bertrand aussi, mais dans un autre sens; il n'osa pas répliquer aux insultes habituelles de Trudeau: il n'aimait pas les chicanes...

* * *

Durant cette fin de semaine, certains leaders nationalistes de Montréal furent avisés des derniers développements de telle sorte que pour se préparer à toute éventualité ils décidèrent qu'une réunion d'urgence serait tenue au restaurant Sambo le samedi 25 octobre à 10.00 heures.

Le lundi 20 octobre, dans la matinée, se tint une réunion du Conseil des ministres pour une dernière étude du bill 62, texte de loi détaché du bill 63 pour former un nouveau projet de loi. Nous fûmes convoqués à un caucus le mardi à la salle 85, pour 10.00 a.m.

On remit à chacun une copie du bill 63; c'était la première fois en trois ans et demi de "législation" qu'on remettait une copie d'un texte de loi avant sa déposition en Chambre afin que les députés puissent en discuter. Le whip demanda alors la plus grande discrétion sur son contenu. MM. Flamand, Bousquet et Grenier décidèrent de se placer aux quatre coins de la salle pour mieux discuter et "contrôler" les débats. J'arrivai avec 15 minutes de retard et je m'assis près de M. Flamand. Je lus le texte de loi, je parlai quelques minutes avec Flamand: notre opinion était faite. Tous les autres acceptèrent le bill; ils ne firent qu'en changer des virgules.

Jean-Noël Tremblay se leva et prononça un grand discours: "Le gouvernement a fait son lit... il a pris une décision... nous tiendrons jusqu'au bout..." Il se mit à la défense de M. Bertrand. Nous comprenions difficilement un tel revirement de la part de M. Tremblay. Puis, M. Bertrand se leva à son tour et fit une longue péroraison en affirmant que c'était là sa décision de chef de gouvernement, qu'il fallait du courage parfois pour accomplir son devoir et qu'il se battrait "visière levée" jusqu'à la passation de cette loi; presque tous applaudirent.

M. Bellemare se leva le dernier (avant les contestataires); c'était grave parce que, lui seul, avec ses 25 années d'expérience, avec sa sensibilité et sa lucidité et son intuition savait ce dont il s'agissait; M. Bertrand, lui, ne l'a jamais su. M. Bellemare ne voulait pas recommencer l'expérience du bill 67 et celle du bill 85 où il avait dû, presque seul, ramasser les pots cassés. Il parla pendant près de 20 minutes. "C'est aujourd'hui que tout le parti est en jeu... c'est la date la plus grave et la plus importante qui soit... le gouvernement a pris une décision capitale... il nous faut faire front commun: le *parti l'exige...* Il ne peut y avoir aucune dissention possible; même une seule nous serait néfaste. Tous ensemble, il nous faut lutter pour que cette loi passe; j'ai 25 ans de vie politique... j'ai monté mon calvaire à genoux... je prie les jeunes de nous faire confiance." C'était le cri désespéré d'un homme âgé et expérimenté qui voyait trop ce qui s'en venait; c'était l'aîné qui voulait sauver sa famille politique vouée irrémédiablement à la destruction par ce bill 63. Maurice Bellemare ne pensait qu'en fonction du parti; voilà un exemple patent de cet esprit de parti tant déploré par le chanoine Groulx. Mais en cette occasion si M. Bellemare avait songé davantage à la nation il aurait peut-être par le fait même sauvé son parti. Quand un parti oublie que son objectif premier doit être le bien de la nation, il court le risque d'être rejeté par cette nation.

M. Lavoie, le whip, fut sur le point de commettre l'erreur de demander un vote de confiance; quelqu'un l'interrompit brusquement avant qu'il ne s'exécute; le Premier Ministre n'aurait pu obtenir un vote unanime; on voulut lui éviter cet affront public. Durant tout le caucus, M. Flamand, tel que convenu, parla très longtemps sans rien dire; à la fin, il dit: "Quant à moi, je préfère attendre." M. Grenier nous dit très justement que la seule différence qui existait entre l'UN et le Parti Libéral était cette chose qui s'appelle le nationalisme et que par cette loi tout disparaissait; il demanda lui aussi quelque temps pour réfléchir. M. Bousquet parla peu et laissa voir très clairement qu'il ne voterait jamais pour cette loi telle que présentée. A la fin, je me levai à mon tour et je demandai quelques jours de réflexion.

C'est à ce moment bien précis que se décida le sort du parti. M. Bertrand nous avait réunis en caucus spécial pour obtenir notre approbation finale et quatre députés refusaient; les dés étaient jetés.

M. Bertrand ne se départait pas pour autant de son arrogante assurance, bien décidé à se rendre jusqu'au bout. Fort de l'appui de presque tout son cabinet et de la presque totalité de la députation en plus de toute l'opposition libérale, il se moquait bien de nous. C'était une erreur capitale. La brisure du parti s'est faite ce mardi matin 21 octobre 1969: nous avions dit non, en fait, au projet de loi du cabinet Bertrand.

* * *

Il nous restait à continuer la lutte avec les moyens du bord. Le lendemain, à 4.00 heures, nous nous rendîmes au bureau de M. Bertrand avec lequel nous avions rendez-vous pour lui confirmer personnellement et officiellement notre désaccord (avant de le rendre public). Durant deux heures nous tentâmes l'impossible pour le dissuader de passer cette loi. Il refusa de nous entendre. Il se fit remettre un paquet de dossiers pour nous apprendre ce que le Ministre des Affaires Culturelles *entendait* faire pour assurer la primauté du français au Québec; il nous parla de toute sorte de choses et de sa carrière. Au milieu de la conversation, il reçut un appel de Cardinal qui le prévenait que la contestation se préparait déjà dans les CEGEP. "Ce n'est pas grave, Jean-Guy, ce doit être organisé," lui répondit-il. Il nous rappela que Maurice Duplessis avait déjà tenté de faire passer une loi pour rendre le français obligatoire et qu'il avait échoué. A 6.00 heures, nous quittions son bureau pas plus avancés qu'avant; notre position ne lui laissait aucun doute, il savait sans équivoque que nous ne voterions jamais pour ce projet tel que présenté. Il semblait presque indifférent à notre opposition.

De 6.00 à 9.00 heures les trois autres députés contestataires, moi-même et M. Cardinal nous nous réunîmes à l'appartement de Fernand Grenier pour débattre la question. Nous tentions de nous adjoindre au moins un ministre. Nous employâmes tous les arguments possibles et impossibles; il nous écoutait puis faisait des distinctions logiques et bien structurées. On le laissa partir pour la réunion du Conseil des Ministres. Que ferait-il? Il partait seul sans appui à cette réunion; nous le savions perdu, lui aussi. Pendant toute cette période du lunch, l'un de nous quatre fit plusieurs appels interurbains dans tous les coins du Québec pour avertir nos alliés que la guerre allait bientôt éclater. Il nous fallait des aides puisque nous étions tout fin seuls.

Le jeudi avant-midi, nous multipliâmes les démarches; nous nous rendîmes au bureau de M. Cardinal pour tenter une dernière fois de le persuader; M. Flamand prévint M. Bellemare de son opposition formelle au projet; et M. Bousquet essaya vainement d'engager des négociations avec les intéressés.

A l'heure du lunch, nous apprîmes que M. Bertrand, escorté de quatre ministres, donnerait une conférence de presse au cours de laquelle il ferait connaître ses politiques sur le choix de la langue de l'enseignement et sur la promotion de la langue française au Québec. Nous sûmes aussi qu'il entendait déclarer avoir l'appui de toute la députation; alors nous lui fîmes savoir par l'un de ses collaborateurs qu'il vallait mieux s'abstenir d'affirmer une telle chose. M. Bertrand croyait-il nous réduire au silence en feignant d'ignorer publiquement notre opposition au projet? Quoi qu'il en soit, nous décidâmes de ne prendre aucun risque et, attablés au Café du Parlement, nous rédigeâmes chacun d'entre nous une déclaration par laquelle nous l'avisions officiellement de notre objection formelle au projet de loi. En ce qui me concerne, cette déclaration écrite était conçue en ces termes: "Je ne peux en conscience voter pour le projet de loi no. 63 tel que rédigé."

A 3.01 heures, M. Cardinal se leva en Chambre et proposa la 1ère lecture de la loi "pour promouvoir l'enseignement de la langue française au Québec." Une seule phrase importait, une seule: "Les cours sont donnés en langue anglaise lorsque les parents ou les personnes qui en tiennent lieu en font la demande." M. Bertrand venait d'amorcer une bombe qui ferait sauter son parti.

A 3.05 heures, nous lui remettions, tous les quatre, en Chambre, notre déclaration écrite protestant contre le projet de loi no. 63: M. Bertrand souriait un peu moins.

Dès que M. Cardinal eut terminé la lecture du bill, M. Lesage se leva et exprima sa "très grande satisfaction de la présentation de ce projet de loi," qui arrivait selon lui sur le tard. Il affirmait de plus que ce bill contenait les principes et les expressions mêmes du programme libéral, adoptés au mois d'octobre 1968; M. Bertrand en était rendu à appliquer le programme libéral, mot à mot. M. Lesage exultait; il se réjouissait surtout de voir l'UN s'engager dans une voie qui la conduisait tout droit au désastre. Il savourait d'avance les difficultés que poserait au gouvernement le vote en deuxième lecture. Il se félicitait de sa stratégie qui consistait à projeter le chef du gouvernement dans le filet qu'il s'était lui-même tendu. Cependant avec les événements de la fin de semaine et les difficultés du caucus libéral, il dut déchanter.

* * *

Vers la fin de l'après-midi, M. Bertrand, escorté de policiers et de quatre ministres, annonça à la T.V., à une émission spéciale et en direct, son projet de loi et il affirma catégoriquement qu'il ne serait pas référé à une commission parlementaire et qu'il n'y aurait aucun amendement d'ajouté; pour ce qui était des députés récalcitrants, il respectait leur conscience et verrait à s'entendre avec eux.

Le samedi, 25 octobre, eut lieu cette réunion d'urgence où se forma le Front du Québec Français. Scandale, lâcheté, cynisme, trahison; on ne mâchait pas ses mots; on comparaît M. Bertrand à Wolfe sur les Plaines d'Abraham. Ce fut une révolte dans tous les milieux et le débrayage commença dans toutes les écoles et dans toutes les universités. Presque tous les corps intermédiaires s'opposèrent au bill, excepté les Chambres de Commerce, le Conseil du patronat, le maire Drapeau, le Star, la Gazette...

Pendant cette fin de semaine, Antonio Flamand préparait une motion de division qui aurait eu pour effet d'entraîner la formation d'une commission parlementaire, c'est-à-dire le renvoi pur et simple du bill 63. C'était là un projet irréalisable pour un député seul. Jean-Noël Tremblay passa à l'émission "Format 30", où il essaya d'expliquer comment cette loi devait promouvoir la langue française au Québec et de justifier sa volte-face subite alors qu'il s'était si ardemment opposé au bill 85. M. Lesage, heureux lors de la déposition de la loi, se posait maintenant de sérieures questions devant cette contestation gigantesque qui s'élevait partout dans la Québec et aussi devant une certaine division qui apparaissait dans son parti. Comme d'habitude, M. Lesage avait agi précipitemment, sans réfléchir, sans connaître les vraies données du problème. Aveuglé par le contentement de voir M. Bertrand pris au piège et l'UN divisée officiellement et publiquement (notre attitude était alors connue de tous) il en avait oublié ses propres problèmes.

Il se trouvait aussi dans son parti des députés qui se refusaient à voter pour un tel projet parce que cela répugnait à leur conscience. En arrivant à Québec, le mardi matin, un député libéral m'avoua: "Jérôme, je n'ai pas dormi de toute la fin de semaine et je ne sais pas quoi faire."

Certains libéraux étaient réticents eux aussi et hésitaient à donner leur appui au gouvernement Bertrand. C'était d'autant plus compliqué chez eux qu'il y avait plusieurs anglophones et plusieurs assimilés comme les Tremblay, les Lavoie, les Kirkland-Casgrain etc... Leur "corridor" étant plus large que le nôtre; leurs points de vue s'en trouvaient plus diversifiés. (Il n'y avait d'anglophone chez nous que M. Johnston qui s'était soudainement mis à parler après trois ans de réflexion).

M. Bertrand comptait sur la complicité des libéraux mais voici qu'il semblait y avoir obstruction de ce côté-là.

Le mardi, vers 10.00 heures le 28 octobre, les libéraux se réunirent en caucus. On cherchait une solution pour se concilier les députés récalcitrants. Ils optèrent pour une astuce parlementaire assez habile qui leur permettrait en même temps de sauver la face et de confondre M. Bertrand. Mais le mouvement projeté obligerait M. Lesage à une autre volte-face. Qu'importe! Il en avait tellement fait dans sa vie publique que plus personne n'y accordait d'importance.

La session s'ouvrit à 3.00 comme d'habitude. M. Flamand tenta vainement de présenter sa motion. Puis, comme manoeuvre de diversion, afin de faire oublier la volte-face qu'il s'apprêtait à faire, M. Lesage se leva et s'en prit violemment aux ministres Masse, Cardinal et Tremblay qui s'étaient opposés au bill 85 et qui faisaient maintenant "patte blanche" (sic). Et il continua ainsi: "Nous serions plus à l'aise de voter pour ce bill en deuxième lecture si le gouvernement plutôt que de ne copier qu'une partie de la politique linguistique libérale, l'avait copiée au complet. Nous aurions aimé que le bill 63 soit en quelque sorte le reflet complet et intégral de notre programme politique."

C'était le comble du ridicule. Le gouvernement, pris à son propre piège, se devait d'adopter le programme libéral au complet pour être capable de passer sa loi. M. Bertrand, refusant de vivre et de composer avec les membres de son parti, se devait de mettre en application le programme intégral du parti adverse. Est-ce qu'il s'en rendait bien compte? Je l'ignore, mais chose certaine Maurice Bellemare voyait tout cela et il en était mortifié.

Après avoir humilié l'Union Nationale, piétiné et ridiculisé les ministres qui s'étaient inclinés, M. Lesage montra comment le bill était incomplet et ne prévoyait rien pour promouvoir le français au Québec: donc bill insatisfaisant et préparé à la vapeur; il proposa alors cette motion disant que "le bill 63, intitulé Loi pour promouvoir l'enseignement de la langue française ne soit pas lu en 2e lecture, parce qu'il ne contient pas les dispositions nécessaires pour que le français devienne effectivement langue prioritaire au Québec et pour y assurer la normalisation progressive du français écrit et parlé."

Les libéraux venaient de retirer l'aide qu'ils avaient offerte au gouvernement le 16 octobre; au contraire, ils le frappaient à coups de massue: M. Johnson avait donc raison, il ne fallait jamais se fier aux libéraux. Et ces paroles de l'Ecclésiastique me revenaient à l'esprit: "Ne te fie jamais à ton ennemi, car sa malice est comme la rouille qui revient toujours sur l'airain. Encore qu'il s'humilie et marche en courbant l'échine, sois vigilant et méfie-toi de lui. Ne l'établis pas près de toi, et qu'il ne s'assaye pas à ta droite, de peur qu'il ne veuille *prendre ta place pour occuper ton siège.* Qui aura pitié d'un charmeur mordu par un serpent et de tous ceux qui s'approchent des fauves? Il restera une heure avec toi. Si tu viens à faillir, il n'y pourra plus tenir. L'ennemi n'a que douceur sur les lèvres tandis qu'en son coeur il médite de te culbuter dans la fosse. L'ennemi a des larmes dans les yeux, mais s'il en a l'occasion, il sera insatiable de ton sang. Si le malheur t'atteint, tu le trouveras là le premier: il a des larmes dans les yeux. Mais en feignant de te secourir, *il te donnera un croc-en-jambe.* Il hochera la tête et battra des mains."

* * *

Ce fut la panique dans le Parti: il y avait quatre députés qui refusaient de soutenir le gouvernement; c'était Flamand qui voulait faire passer une motion de division; c'étaient les libéraux qui retiraient leur appui et demandaient que le bill ne soit pas lu en 2e lecture; et à l'extérieur, tout allait sauter et éclater.

M. Bertrand souriait de moins en moins.

Ce qui décontenança le gouvernement, c'est que cette motion fut déclarée recevable par le Président Gérard Lebel; elle ne fut contestée ni par M. Paul ni par M. Bellemare, pris d'un subit accès de rage. Le gouvernement se trouvait dans un beau dilemme:

s'il votait contre la motion, il votait nécessairement contre le français prioritaire comme l'avait demandé M. Lesage; et s'il votait pour la motion, il votait pour le renvoi du bill, il votait contre son propre bill, le reconnaissant comme incomplet. Que feraient les trois contestataires dans tout cela? Car il en manquait déjà un. M. Grenier avait été délégué à la maison du Québec à New-York, histoire de le tenir à l'écart pour quelque temps. Cela lui simplifiait les choses... il s'agissait maintenant pour lui d'attendre que la tempête se passe.

Nous tînmes un mini-caucus, Flamand, Bousquet et moi-même, au Salon Rouge, seuls dans la pénombre, de 5 à 6 heures, juste avant le caucus commandé par M. Bellemare.

* * *

Ce fut là mon dernier caucus dans l'Union Nationale. Tous étaient bleus de colère, tendus, révoltés et pris de panique. Le but de ce caucus était de connaître nos intentions face à la motion Lesage. Voterions-nous avec le gouvernement ou avec les libéraux? Notre appui aux libéraux pouvait entraîner la chute du gouvernement, mais les libéraux présentaient cette motion pour nous confondre tous et aussi pour sauver la face; ils n'envisageaient aucunement la défaite du gouvernement, puisqu'ils se trouvaient en pleine course à la chefferie.

La première réaction de M. Bellemare fut de vouloir nous expulser du caucus des députés sous prétexte qu'il ne pouvait accepter des traîtres parmi eux; nous restâmes quand même. Puis M. Bertrand s'en prit violemment à M. Flamand alléguant qu'il lui était insupportable de se faire poignarder dans le dos par un collègue; il frappait fortement la table de sa main: Flamand ne bougeait pas d'un pouce. M. Bertrand le traita de lâche. Puis prenant la relève, Rémi Paul attaqua à son tour M. Flamand; la veille, celui-ci s'était rendu au Club Renaissance où, devant le secrétaire de M. Paul et M. Viens, il avait prononcé en badinant des paroles "audacieuses". M. Paul se leva et avec beaucoup de sérieux et de gravité s'adressa à M. Flamand: "M. Flamand, je vous parle en tant que ministre de la Justice: vous avez prononcé hier des paroles séditieuses et vous êtes passible de poursuites judiciaires..." Cela dépassait les bornes; personne ne réagit aux propos insensés de R. Paul, pas même M. Bertrand qui le laissait toujours ainsi aller. C'était la deuxième goutte qui faisait déborder mon verre. Puis M. Bertrand, comme un animal traqué, s'emporta: "Nous allons passer cette loi coûte que coûte, même si on se fait battre; nous avons pris une décision et nous allons la tenir jusqu'au bout. Il y en a qui sont traumatisés par ce bill..." A ce moment-là, M. Bousquet quitta subitement le caucus.

M. Bertrand insista pour que je lui révèle mes intentions. Je lui dis que je m'abstiendrais pour ce qui était de la motion Lesage et que je m'abstiendrais aussi pour ce qui était du vote en deuxième lecture. Il me dit alors: "Jérôme, si tu votes contre le bill, donne-moi tout de suite ta démission, sur le champ." Or il se trouvait en présence de tout le caucus; il se servait du poids du nombre pour m'écraser; cela lui donnait de l'audace. Je lui répondis: "Donnez-moi 24 heures. Demain soir, je vous rendrai ma décision."

Il nous répugnait de voter pour la motion Lesage qui n'était que l'habile camouflage d'une astuce parlementaire et il nous était aussi impossible de voter pour le gouvernement, puisque cela aurait équivalu à un accord de principe pour la présentation de son bill. Tous les trois, nous nous étions entendus pour nous abstenir. M. René Lévesque fit de même, il quitta l'Assemblée au moment du vote. Résultat: 48 contre, 35 en faveur. Le gouvernement était sauf.

* * *

Le mardi et le mercredi les protestations officielles contre le bill affluèrent de toute part ajoutant par le fait même plus de crédibilité aux députés contestataires et au FQF: [1] toute la pyramide du monde de l'enseignement s'opposait au projet de loi à partir du Conseil Supérieur de l'Education jusqu'aux principaux d'écoles, commissaires, professeurs, étudiants; en tout plus de 200 organismes. Presque toutes les écoles étaient fermées.

La journée du mercredi, 26 octobre, fut consacrée à ce qu'on appelle, en terme parlementaire, la journée des députés, à leurs motions personnelles, à leurs problèmes de comtés, etc... Cela permettait à chacun de reprendre son souffle pour continuer la lutte.

On réserva la journée du jeudi pour des discours importants. M. Bertrand prononça le sien juste avant les nouvelles de 6.00 heures: c'était un discours bien préparé, bien structuré et bien dit mais qui ne traversa pas la Chambre, il n'eut aucun effet sur qui que ce soit. Plusieurs députés libéraux toutefois applaudirent. "... Nous voulons que le Québec reste à la fois une terre française et une terre de liberté..."

Celui de Jean-Noël Tremblay fut plus violent et plus acidulé: il répétait en substance ce qu'il nous avait déclaré la veille au caucus; René Lévesque "nous dit que les droits de cette minorité seraient limités à son importance numérique. Cela veut dire exactement ce que voulait dire au moment où est né en Allemagne le national-socialisme, alors que l'on a limité les droits d'une certaine catégorie de gens à leur importance numérique avant que de les exterminer..." Il nous avait affirmé aussi que l'union de l'extrême droite nationaliste à l'extrême gauche menait tout droit à l'intolérance et au nazisme. Et le soir à la T.V. il parla de

(1) Front du Québec français.

six millions de morts. Plus tard, en avril 70, il dira que les péquistes avaient les mains tachées de sang. (Et dire qu'il a été réélu!)

Sa thèse, comme celle de M. Bertrand, s'évertuait à cacher le dangereux principe du bill en s'attardant à l'accessoire: ce projet de loi est une amorce d'une politique globale de la langue; pour la première fois un gouvernement fournissait aux francophones un instrument de promotion linguistique et allait par d'autres moyens compléter cet ensemble de mécanismes qui permettra de faire du français la langue d'usage et la langue de communication; mais il fallait commencer dans ce domaine extrêmement stratégique de l'enseignement.

Lui qui s'était déclaré séparatiste de coeur et le représentant de l'aile nationaliste au sein du cabinet lors de l'affaire du bill 85, était passé de l'autre côté; il optait pour le pouvoir et mettait tout son talent et sa facilité d'expression au service de M. Bertrand. On ne comprenait plus rien; il est vrai que depuis 1967 il n'avait fait qu'énoncer des principes sans jamais rien mettre en pratique; son nationalisme verbal convenait bien à son personnage mais aujourd'hui il troquait son rôle de vedette contre un rôle de soutien.

Dans la soirée du jeudi 30 octobre, M. Michaud annonçait qu'en signe de protestation contre le bill 63 il se retirait du caucus libéral: c'était une première démission (quelques mois plus tard, après plusieurs tentatives, il finira par réintégrer le caucus libéral; battu à l'élection d'avril 70, il travaille maintenant pour Robert Bourassa).

Dans la soirée, ma décision était prise: je voterais contre le bill en deuxième lecture. Il me restait à en prévenir M. Bertrand tel que promis. Je le rencontrai à l'arrière de l'Assemblée Nationale et le priai de m'accorder un entretien; il m'entraîna jusqu'à la salle des députés afin de pouvoir une fois de plus profiter du poids de leur nombre pour m'expulser du parti. J'insistai pour lui parler seul à seul: "M. Bertrand, j'ai décidé de voter contre ce bill." Hésitant et un peu honteux, il me répondit: "Jérôme, tu as vu ce qu'a fait Michaud, fais donc de même."

Cette journée du jeudi en fut une des plus tristes de ma vie. De 9 à 10 heures, je m'assis près d'Antonio Flamand en Chambre et nous chuchotions tout bas comme cela se fait les jours de deuil. D'un commun accord nous avions décidé de voter contre la loi; nous avions passé toute l'heure du lunch à essayer de convaincre notre ami Denis Bousquet d'en faire autant; il étudiait, il analysait, pesait et soupesait. Face à ce qu'il regardait comme à Munich linguistique, il préféra suivre le précédent de Winston Churchill lors de la ratification du pacte de Munich en 1938. Pour des raisons de stratégie à long terme, il s'est abstenu au moment du vote tout en maintenant farouchement et publiquement son opposition indéfectible à la mesure gouvernementale.

Nous n'étions plus que deux, les deux inséparables. Et nous étions isolés, esseulés dans notre parti puisque de jour en jour nous nous éloignions du groupe des députés et que plus personne ne nous adressait la parole et réciproquement. Nous étions seuls, prostrés, sans armes, sans alliés mais quand même décidés à nous battre jusqu'au bout, jusqu'à la fin. Nous avions l'angoisse des kamikazés.

* * *

Pourquoi donc m'objectais-je à ce projet de loi, pourquoi donc cette opposition farouche et cette attitude à l'égard du gouvernement? (1)

---

(1) Il y aurait une réponse simple: Je ne m'étais pas fait élire en 1966 avec le programme libéral.

Parce que selon moi, la langue de l'enseignement ne relève pas de l'individu mais bien de la collectivité. La langue est un fait national, elle est essentiellement phénomène collectif; elle est aussi instrument de communication et outil de travail. De plus, elle forge une façon de pensée, de s'exprimer et de vivre collectivement. Elle est aussi un témoignage et un symbole. A cause de tout cela, elle est un bien collectif et doit relever de l'Etat comme langue d'enseignement. Or l'article 2, le seul important (le reste n'était que de la poudre aux yeux) admet et défend le droit individuel au détriment du droit collectif. Chacun pourra choisir la langue d'enseignement pour ses enfants. Quelles en seraient les conséquences? Les francophones, les anglophones, les néo-québécois récemment arrivés ou installés depuis longtemps, bénéficieront du même privilège de choisir la langue d'enseignement pour leurs enfants. N'a-t-elle pas été faite la preuve de l'assimilation rapide des canadiens-français, de leur anglicisation progressive, de ce phénomène d'osmose linguistique, de l'extinction lente mais sûre de notre groupe linguistique; l'article 2 allait faire sauter le barrage qui endiquait le phénomène d'anglicisation. C'était créer un absurde précédent historique, c'était faire du Québec le pays de tout le monde et par conséquent le pays de personne et plus précisément, le pays de la minorité anglaise.

Historiquement, en agissant ainsi, le législateur croyait régler le cas de Saint-Léonard en particulier et les autres en général; en fait il créait un grave problème; il accélérait le processus d'anglicisation puisqu'à Saint-Léonard comme partout ailleurs en septembre 70, les commissaires seraient dans l'obligation d'accorder des classes anglaises à tous les requérants, qu'ils soient francophones ou anglophones.

* * *

Plusieurs affirmaient, Mario Beaulieu en particulier, que si cette loi s'avérait désastreuse pour les Québécois, on pourrait y revenir et la modifier adéquatement. C'était un argument ridicule et démagogique. Quand on accorde un droit, on se met dans l'impossibilité de le retirer par la suite, raison de plus quand c'est un droit qu'on accorde aux Anglais. Prenons, par exemple, le droit de grève dans les services publics; peut-on même imaginer pouvoir le restreindre? S'il en est ainsi pour un droit de grève qui demeure un droit limité, quand était-il du droit qu'accordait le bill 63?

Au lieu de contrevenir au phénomène d'anglicisation, on légiférait pour l'accélérer. Le législateur admettait un libéralisme absolu en matière linguistique, culturelle et sociale et l'appliquait avec toutes les conséquences néfastes que cela supposait; dans d'autres domaines, dans celui du travail, de l'économique, de la finance, dans les services publics, dans l'urbanisme, dans la construction, dans l'éducation, à l'émigration etc... on pratiquait un dirigisme, une volonté nette et claire d'imposer des politiques précises à une communauté précise et qui limitait sa liberté d'action, d'expression et de mouvement. Mais en matière linguistique, qui implique l'existence même d'une nation, on laissait tout aller.

* * *

> "La langue est notre lien réel avec un monde collectif. Elle nous rattache à un passé rempli d'efforts, de souffrances et de sentiments."
>
> "C'est ce que nous avons de plus intime, comme notre nom personnel. Personne ne veut perdre son nom, comme aucune nation ne veut perdre sa langue ou son identité collective ou historique. La langue n'est et ne vaut que pour autant qu'elle est reliée à un

groupe et c'est l'existence du groupe lui-même qui affirme l'existence d'une langue. Elle est donc une valeur collective."

"La langue d'enseignement relève donc, à mon avis, de l'Etat ou mieux de la nation qui en est la source génératrice et régulatrice. Affirmer que le choix de la langue d'enseignement est un droit individuel, c'est nier l'appartenance congénitale d'une personne à son groupe. C'est la détacher de la source qui la nourrit et qui la fait vivre. C'est la laisser aller seule dans l'univers sans aucune attache à un groupe déterminé. Ce serait laisser la nation se désintégrer par voie de conséquence."

"La langue d'enseignement c'est essentiellement une relation, un rapport entre une personne et la collectivité et l'on ne peut pas, à mon avis, affirmer que la langue soit une valeur individuelle, autrement on brise cette relation ou ce rapport. Elle est donc valeur collective. C'est pourquoi on a dit que si la langue était laissée à l'individu et que si chacun pouvait choisir, c'est la collectivité qui en serait bouleversée. Plusieurs personnes, sensibles à ces problèmes, se sont dit: c'est la collectivité qui est blessée. On a senti que la nation serait menacée, surtout en 1969, pour les raisons que l'on sait. Le peuple le sent et le ressent, et cela le trouble. Une blessure profonde, cachée, très ancienne est réapparue. Le peuple souffre de ne pas être uni, rassemblé, lié par sa langue, et c'est une souffrance de tous les jours, de toutes les occasions. Elle surgit subitement dans la rue, au magasin, à l'aérogare, sur l'avion, sur les affiches, à la télévision, au travail, à l'usine, au bureau, surtout quand les promotions ne viennent pas ou ne viendront jamais."

"Plusieurs ont été collectivement bouleversés, et c'est pourquoi il y a eu des remous si profonds dans un secteur de la population. C'est que cette loi touchait quelque chose de très profond et en même temps de très difficile à définir. Cela touchait ou atteignait le subconscient collectif de plusieurs personnes... Cette loi atteignait les droits fondamentaux des citoyens comme membres d'une collectivité."

"On se retrouve dans une langue comme on se retrouve dans un abri, surtout quand les dangers qui nous menacent sont plus imminents qu'autrefois. La langue a toujours été au Québec, un lieu de rassemblement, comme, pour les noirs, la négritude est ce point de rencontre et de retrouvailles. Quand le législateur déclare que la langue est un droit personnel, il libère le citoyen de son attachement vital à son groupe. Il le met dans la douloureuse obligation de choisir entre sa langue et la nécessité économique."

"Il le met dans une situation de violence intérieure. Son être devient tiraillé et violenté. En le libérant de son attachement à son groupe collectif, on lui dit: tu es libre maintenant et, par ce fait même, on détruit la valeur collective d'une langue."

"En disant: va, choisis la langue que tu voudras, on brise ce lien, cette raison d'être qui nous unissait et qui nous rassemblait tous sur un même territoire. Que nous reste-t-il, à nous, du Québec, sinon qu'à entrer dans l'anonymat nord-américain, qu'à devenir à la longue des exilés au sein même de notre patrie? "

"L'appartenance à un peuple, à une collectivité, à une ethnie ou à une langue est si essentielle et si inhérente à l'homme qu'elle a permis, par exemple, aux Juifs errants à travers les siècles de ne vivre que d'un seul espoir, de ne vivre que d'une seule espérance, celle de fonder un jour leur propre état, de posséder leur propre territoire national."

"... La langue ou le choix de la langue d'enseignement n'est pas un droit individuel. Elle est un droit collectif, et c'est à l'Etat d'intervenir pour conserver ce bien collectif qui est menacé plus que jamais aujourd'hui. Le législateur aurait dû dire: la langue est une valeur collective, c'est une donnée nationale, prioritaire et primordiale. C'est en elle et par elle que tous les Québécois se retrouvent, se reconnaissent, s'aiment et travaillent ensemble. ." (1)

* * *

De plus en brimant le droit de la nation, on brime automatiquement celui des individus puisque la nation est l'ensemble des individus qui la compose.

L'article 1 obligeait le Ministre de l'Education à prendre les mesures nécessaires pour que les Anglophones puissent acquérir une connaissance d'usage de la langue française. Or cela impliquait des millions et les effets ne se seraient fait sentir qu'après une période de 20 ans. Donc, de la poudre aux yeux.

L'article 2, c'est la liberté totale de choisir la langue de l'enseignement. Dans l'immédiat c'était le bilinguisme officiel, intégral et total qu'on décrétait au Québec; et qui amènerait à brève écheance l'unilinguisme anglais dans les faits à cause de la nécessité économique d'utiliser quotidiennement la langue anglaise.

* * *

(1) Extrait du discours que j'ai prononcé en Chambre.

M. Bertrand entendait passer cette loi "coûte que coûte". Les Anglais en avaient fait un croisé de leur cause et fort du poids de tout l'Establishment c'est "visière levée" qu'il partait en guerre contre son peuple. Comment expliquer un tel aveuglement chez M. Bertrand? Elu dans un comté composé de près de 25% d'anglophones, ses politiques étaient toujours conditionnées par le bon vouloir de son électorat anglais; il ne réagissait pas en Canadien-français authentique. Et de plus, ses origines libérales l'avaient marqué d'un certain anti-nationalisme qui le rendait très réceptif aux revendications des anglophones et vulnérable aux pressions exercées par l'Establishment. Par ailleurs, appartenant au monde rural, il lui était difficile de saisir dans toute sa complexité le problème que pose la ville de Montréal. Précisons qu'il ne possédait en fait aucun mandat pour passer une loi aussi décisive pour l'ensemble des Québécois n'ayant été élu que par 1326 personnes chauffées à blanc lors d'une convention.

D'autres motifs secrets, sans doute inconscients, le poussaient à agir: le clan Cardinal partirait ou s'agenouillerait; cela permettait de casser une fois pour toutes les Tremblay, les Cardinal et d'éliminer tous les nationalistes du parti, ceux-là qui ennuyaient tout le monde et les Anglais.

Un gouvernement qui humiliait ainsi ses membres ne méritait pas de survivre; en misant sur leur faiblesse humaine, il les dépouillait de leur dignité d'hommes. Tout comme le principe du bill 63 plaçait le peuple dans la douloureuse obligation de choisir entre sa langue et son gagne-pain, son adoption en Chambre forçait les députés à choisir entre leurs principes et leur carrière; or un gouvernement ne doit pas imposer des tentations aussi fortes à des personnes qui ne peuvent les supporter; la plupart ont préféré leur carrière, laquelle prit fin cinq mois plus tard.

M. Bertrand s'était placé dans un dilemme: s'il persistait à passer cette loi, il détruisait son parti; s'il reculait, il lui fallait démissionner; il a préféré la première solution. Sa démission ne fut retardée que de quelques mois.

Ce bill, il le passerait "coûte que coûte", sa décision était définitive, irrévocable, "même s'il se faisait battre"; il a fait son lit et s'y est couché: son parti en est sorti on ne peut plus mutilé. M. Bertrand n'a jamais représenté son parti pas plus qu'il n'a représenté sa nation.

Notre collectivité avançait à grands pas; elle évoluait et prenait d'autres formes; une pensée nouvelle, difficile à saisir, apparaissaît. Les campagnes se vidaient et l'on s'amassait dans les grandes villes; le Québec s'industrialisait et s'urbanisait et l'on travaillait en anglais; les nouveaux venus se joignaient au groupe anglophone à 80%. La nation, dans cette mouvance accélérée, faisait face à des dangers nouveaux et imminents: les canaris nous en avaient avertis pourtant depuis longtemps (on les accusait de sédition); la nation courait à sa perte et le nouveau gouvernement ne voyait rien. Nous avions un gouvernement imprudent, inconscient, aveuglé par des petites luttes partisanes, faible à ce point qu'il était devenu la marionnette de l'Establishment anglais qui exigeait, ordonnait même de passer cette loi; et M. Bertrand l'a passée "visière levée". Le gouvernement, divisé, incompétent, ne tenait qu'à un fil: celui du pouvoir; c'était un accident historique. La nation se devait peut-être de connaître une telle épreuve pour accélérer son réveil; stimulée par la souffrance et l'humiliation, elle est en train de se relever, de se préparer à prendre les guides.

* * *

Durant quatre mois, deux personnes ont mené le gouvernement: M. Bertrand élu par 1326 personnes et Jean Lesage démissionnaire: la nation a connu des mois sombres. MM. Laporte,

Wagner et Bourassa, eux, ne pensaient qu'à leur carrière et comptaient les votes requis pour être élus à la convention.

* * *

Durant ces débats, un déséquilibre profond apparut en Chambre. Tous les jeux de force et de puissance étaient changés: deux ministres récalcitrants s'enlignèrent presque de force; deux députés au pouvoir s'abstinrent de voter; deux autres votèrent contre le bill et furent expulsés et siégèrent comme indépendants; quelques députés UN conscients de la débâcle, impuissants, se laissaient entraîner vers l'abîme; M. Bertrand prononçait des discours que les libéraux applaudissaient; une opposition circonstancielle contestait le bill, alors que l'opposition libérale était devenue muette; les députés libéraux anglophones, d'abord heureux de la loi, commençaient à manifester de l'inquiétude: "That's a bomb, that's a bomb", me répétait souvent M. Tetley. Les quatre députés de la nouvelle opposition tenaient caucus à l'Hôtel Clarendon ou au Café du Parlement, à toutes les heures du jour ou de la nuit.

Au Café du Parlement, les députés UN s'attablaient tous ensemble; instinctivement ils se collaient les uns aux autres parce qu'ils sentaient qu'un danger les menaçait.

Quatre députés ont tenu le gouvernement en alerte pendant un mois. Un jour M. Bertrand s'approchant de moi, me dit: "Jérôme lâchez, lâchez, je n'en peux plus." C'était le chaos; plus rien n'avançait, un ordre ancien s'écroulait laissant préfigurer une ère nouvelle.

Dans cette crise, apparut le vrai visage des parlementaires; dans ces périodes les hommes montrent leur dimension réelle; il y avait diverses catégories de comportements humains:

1. D'abord les colonisés: comme Lesage et Bertrand, c'est-à-dire ceux qui écoutent la voix de leur maître et qui acceptent leur statut inférieur, qui s'en trouvent satisfaits et qui vont même jusquà défendre les intérêts de leur maître avec courage et détermination; ils sont d'une servilité exemplaire.

2. Ensuite les assimilés: tous ceux qui ont changé de bord et se sont intégrés au groupe de la minorité toute puissante pour l'argent ou pour les honneurs; ils ont renié leur nation pour mieux l'exploiter; ce sont les Georges Tremblay, les Jean-Noël Lavoie, les Claire Kirkland-Casgrain, les Gosselin; ils manifestaient du mépris et de la haine pour les nationalistes, vivants reproches de leur trahison.

3. Puis les indifférents, c'est-à-dire tous ceux qui ne savaient pas trop ce qui se passait: ils servent à tenir un gouvernement en place, par la force du nombre.

4. Il se trouvait des indécis qui, pendant des semaines ont été malheureux, tiraillés de toutes parts, poussés par leurs électeurs d'un côté et attirés par le pouvoir qui s'en venait, de l'autre.

5. Il y avait les inconscients intelligents pour qui le bill 85 et le bill 63 n'ont jamais présenté de problème: c'était une loi comme toutes les autres.

6. Il y avait aussi les impuissants qui, semblables au 30% d'indécis d'avril 70, optèrent pour la fausse sécurité d'un régime établi, après avoir hésité entre la liberté et les vieux partis.

7. Il y avait les partisans, ou les hommes de parti, comme Maurice Bellemare qui, pris de panique devant la Chambre en désordre et un parti mutilé, se battit très mal, avec des cris, des insultes, des grossièretés parfois; le leader du parti était démoralisé, désespéré de voir le général conduire son armée à la boucherie. Il partira plus tard au moment opportun, prenant soin de se faire nommer Président de la Commission des Accidents de Travail.

8. Puis il y eut les arrivistes comme Wagner, Bourassa et Laporte qui votèrent rapidement pour le bill parce qu'ils faisaient campagne (la leur) ailleurs; ils n'avaient qu'une préoccupation: se gagner un nombre de votes suffisant pour être élus à la convention du mois de janvier; le vote en deuxième et troisième lecture présentait pour eux un intérêt secondaire; mais comme ils se devaient de courtiser la finance anglaise, ils saisirent l'occasion de lui être agréable, (c'était bien inutile pour M. Wagner et M. Laporte, elle avait déjà donné son appui à Robert Bourassa).

9. Il y avait des comédiens, comme Yves Michaud, par exemple, qui ont donné une performance remarquable; notons toutefois qu'ils ont choisi un rôle à leur convenance par lequel ils purent exprimer ce qu'ils pensaient et ressentaient réellement.

10. Il y avait les anglophones qui comme Fraser et Tetley voyaient la chose avec une certaine lucidité; ils se réjouissaient certes de cette loi mais ils sentaient dans leurs tripes ce qu'elle contenait de dangereux et d'explosif pour leur collectivité. C'était un cadeau qu'ils n'osaient déballer.

11. Il y avait les victimes comme Jean-Guy Cardinal qui dut passer à regret le bill Bertrand parce que c'était bien pour lui le bill Bertrand et pas autre chose. Cardinal dut se soumettre comme tous les autres et le défendre à contre-coeur. C'était le dernier litige de la convention de juin qu'on venait de régler. Cardinal a parrainé le bill et a peut-être brisé sa carrière politique.

12. Il y avait les parlementaires libres, comme Gaston Tremblay, Antonio Flamand et René Lévesque. Gaston Tremblay avait démissionné à l'automne '69 pour demeurer fidèle à ses principes.

Antonio Flamand était à la fois un homme de parti et un homme libre; c'est ce qui lui a créé tant d'ennuis; attaché au parti, il lui fallait voter contre le bill. Il tentait de présenter une motion de division contre son propre gouvernement et se cherchait désespérément un secondeur pour l'appuyer. Sa thèse était simple: M. Bertrand n'était pas mandaté pour poser une telle loi et il désirait en appeler au parti pour faire reculer le cabinet Bertrand qui trahissait l'esprit de l'UN.

* * *

Il y avait M. René Lévesque qui, lui, était libre depuis longtemps.

* * *

13. Il y avait enfin ce député en voie de se libérer que j'étais; ce fut un dur accouchement.

Il était clair que je parlerais contre cette loi; je ne pouvais pas me taire, cela aurait été me détruire complètement; je me trouvais même dans l'impossibilité de m'abstenir. Il s'imposait que je me lève et que je dise que cette loi était dangereuse, néfaste, incomplète et indigne d'un gouvernement responsable du destin de tout un peuple. Durant toute la fin de semaine je préparai mon discours, ramassant les meilleurs arguments. Dans la nuit de lundi à mardi, je rédigeai le texte final et ce mardi 4 novembre j'en fis remettre une copie à tous les journalistes.

Entre temps, M. Bertrand décida de présenter des amendements qu'il négocia avec les libéraux. M. Bousquet fut mis au courant de l'existence de ces amendements; il ne m'en souffla mot; M. Bertrand lui ayant imposé le silence; les libéraux, eux, en avaient été prévenus dès le matin.

M. Bertrand arriva en Chambre à 3.00 heures et annonça qu'il ajouterait des amendements au projet de loi. Il était irrégulier de proposer des amendements à ce moment des procédures (art. 558) [1]; de plus, il était inadmissible que les parlementaires n'en fussent pas informés au moins une heure à l'avance: c'était une jambette de petit politicien.

Je commençai donc à parler malgré ces amendements-surprises qui avaient ébranlé ma certitude première; le doute avait commencé à pénétrer mon esprit. Plus j'avançais dans mon discours, plus j'hésitais et plus il m'était difficile de parler et d'affirmer ce que je voulais dire. La peur s'empara peu à peu de mon être et je commençais à bafouiller. Je me voyais seul devant l'Establishment, devant ces deux vieilles formations politiques acoquinées ensemble; je voyais ces deux chefs de partis, sans aucun mandat réel de la population, conclure cette déshonorante alliance et simuler un certain désaccord alors qu'ils se savaient de connivence dans ce complot contre leur peuple; je voyais tous les membres du cabinet se coller sur un chef qui recevait des ordres de l'opposition; je voyais des opportunistes comme Jean-Noël Tremblay se porter soudainement à la défense de cet homme qu'il avait tant méprisé; je voyais aussi Cardinal qui pliait l'échine; et Bousquet et Grenier qui avaient décidé de se taire et de s'abstenir. Plus j'avançais dans mon discours, plus je me sentais seul, démuni, en face de ce Parlement bien décidé à marcher contre son peuple, en face aussi de ces forces obscures mais si puissantes du Pouvoir; j'enviais la force, la détermination et le sang-froid de Flamand qui avait une si longue habitude de l'adversité; il avait connu les Duplessis, les Barette, les Sauvé, et il connaissait bien les députés et les ministres; il savait aussi qui était M. Bertrand; j'enviais le courage et la force morale de René Lévesque qui tenait tête à des

---

(1) Note 2. "Il est irrégulier de proposer un amendement qui se rapporte à quelque détail du bill en discussion ou qui énonce d'avance quelque modification de texte proposable lors de l'étude en comité." MM. Bellemare et Laporte jouaient avec le règlement comme bon leur semblait.

adversaires depuis si longtemps que cela devenait un combat normal pour lui; et je pensais à Daniel Johnson qui seul avait dû faire face à tant d'ennemis.

Je voyais ces ministres qui ne pensaient qu'à leur retraite et qu'à leur pension; j'avais autour de moi des députés qui ne songeaient qu'à se faire réélire avec de la garnotte et du patronage, mêlés à tous ceux qui étaient sympathiques et qui comprenaient mon angoisse.

Nous n'étions que cinq (officiellement et publiquement) à nous opposer à cette loi. Se pouvait-il que nous soyons les seuls à avoir raison? Plus j'avançais dans mon discours, plus la pression montait; les députés de l'opposition m'interrompaient et me faisaient perdre le fil de ma pensée et de ma lecture. J'étais de plus en plus seul devant cette force collective qui nous écrasait.

Il y avait à l'extérieur ce monde près d'éclater et de sauter; toutes les écoles étaient fermées et toutes les universités; on se réunissait partout; tous étudiaient ce fameux bill; chaque étudiant en possédait une copie; tous les corps intermédiaires du Québec s'étaient coalisés contre la loi Bertrand-Lesage. La vie nationale, chez les jeunes surtout, donc chez les plus lucides, s'en trouvait bouleversée; le désordre surgissait de partout et tout allait s'écrouler. Les journaux ne parlaient que de ce bill; à la T.V. on donnait tous les soirs un compte-rendu des débats en Chambre; on ne discutait que de cela.

Pendant tout mon discours, Jean-Paul Beaudry, assis à mes côtés, me regardait et m'écoutait; je fus soudainement troublé par son regard triste et songeur; j'étais pris entre son amitié et le geste que j'allais poser: le trouble s'empara de mon âme; j'allais quitter le parti, j'allais même le saborder et j'allais perdre un ami que j'aimais et que je respectais beaucoup; j'étais coincé entre les liens qui me reliaient à une grande famille politique et le bien de la nation; Jean-Paul était un homme de parti; je parlais contre son gouvernement et je voyais bien qu'il ne me comprenait pas, j'allais plus loin que lui parce qu'il s'imposait que j'y aille; un immense fossé nous séparait et cela devenait insupportable; et à travers lui je vis soudain ce peuple pour qui mon geste resterait incompréhensible. C'est le désarroi de tous les unionistes que je discernais dans les yeux de J.P. Beaudry. Jean-Paul ignorait que le geste qu'il poserait en votant en deuxième lecture, détruirait la nation et le parti en même temps; cette sincérité aveugle me confondit; je me devais de quitter une famille politique que j'aimais pour obéir à l'appel de ma nation et elle ne comprendrait pas.

Ce parlement était devenu comme ce "bunker" là où Hitler, réfugié à trente pieds sous terre, amenait son peuple vers la ruine; le führer n'entendait plus rien; il était devenu ce démon déchaîné qui conduisait ses armées vers la défaite; il n'écoutait plus ses généraux, atterrés devant un tel aveuglement.

Le Parlement était ce bunker, coupé de la réalité, du concret; le Québec allait sauter et tous pensaient à leur carrière, Bourassa à la chefferie, d'autres à leur retraite, Rémi Paul, à l'ordre, Fernand Lafontaine, à la prochaine élection, et Bellemare se cherchait une Commission ou une Régie. Les quatre nouveaux députés étaient complètement perdus dans ce monde de fous et devaient se demander ce qu'ils faisaient dans cette boite. C'était un monde semblable aux univers des Polanski ou des Kafka, où tout semble tourner en rond, où les couleurs et les formes se confondent les unes aux autres, où les êtres posent des gestes insensés et absurdes, où la vie paraît se faire et se défaire, où l'on revient au temps premier de l'univers, où dans la confusion des ténèbres et de la lumière naît un monde informe, un monde d'hallucination et de cauchemar, un monde apocalyptique.

Je continuais péniblement mon discours, de plus en plus prostré, la voix étouffée. Je voyais tout-à-coup ce monde avec une vision plus claire, plus nette, je me voyais dans cet horrible panier de crabes où les uns me ridiculisaient, les autres me prenaient en pitié; celui-ci me détestait ou cet autre mesurait mon endurance; je les voyais tous, ces ratés, ces opportunistes, ces bluffeurs, confondus avec les indifférents, les honnêtes, les sincères, les dévoués, tous ces êtres qui ne pensaient qu'à eux, qu'à leur promotion, qu'au parti et si peu à la nation, alors qu'elle était en péril, alors qu'on vendait le peuple, alors que la page la plus grave de notre histoire s'écrivait.

J'avais vu pendant quatre ans leur incommensurable inconscience, leur indifférence coupable et leur tartufferie; et cette comédie prenait la proportion d'un immense bal où chacun avait enlevé son masque et se montrait tel qu'il était: c'était la comédie de la nation qui se jouait devant moi et le spectacle était triste, affreux. Je revoyais ces scènes de l'Enfer de Dante.

Comme je comprenais maintenant la ruse de Daniel Johnson et son incroyable prudence avec eux tous et avec lui-même.

Jamais je ne me suis senti aussi démuni, aussi désarmé, incapable d'aller chercher au fond de moi-même la force morale, la force physique même pour m'opposer à ce maudit bill. J'ai alors senti toute la peur de mon peuple: nos 200 ans d'humiliation, d'impuissance, ces 200 ans d'incapacité et de prostration remontaient en moi; je portais le fardeau de mon pauvre peuple, habitué depuis si longtemps à se laisser conduire par les autres; j'ai éprouvé comme jamais les sentiments de ce peuple diminué, colonisé, incapable de se libérer, de se relever et qui continue toujours à dire oui et à obéir aux ordres des étrangers; incapable de se tenir debout et de lutter; 200 ans d'opportunisme, de trahison, de lâcheté, de complicité et d'intrigues surtout; 200 ans de faiblesse, de honte, de peurs et de pleurs.

Je me surpris à douter de moi-même. J'aurais aimé être pourvu d'oeillères pour ne rien voir de tout cela: c'est ma lucidité qui m'a le plus desservi; je voyais et sentais trop bien cette force collective qui nous brimait tous et qui nous aurait encore une fois; je voyais trop bien ce rouleau-compresseur qui allait nous écraser. J'étais démuni, totalement.

Vers la fin de mon discours, je fus interrompu par Guy Lechasseur (que M. Bertrand a nommé juge) et par Emilien Lafrance (qui fournissait aux fonds de Robert Beale); c'était par eux tout l'Establishment qui me ridiculisait et se moquait de moi. Qu'est-il donc ce jeune blanc-bec pour se permettre de contester? D'où vient donc ce jeune professeur? Qu'est-ce qu'il lui prend tout-à-coup? "What does Quebec want? " en d'autres mots. Personne de mon côté pour me soutenir et de l'autre on me ridiculisait. Où donc aller chercher du support? Qui pourrait donc m'aider? Mon Dieu, qu'est-ce que je fais dans cette galère? Pourquoi donc me suis-je présenté en juin 66? J'étais si bien professeur, j'aurais dû rester chez moi, bien tranquille.

Que pouvais-je faire dans ce combat inégal?

Et à la fin de mon discours, j'ai dit, oui, j'ai dit que je voterais pour le bill 63.

* * *

J'étais atterré. Je m'étais bien proposé de voter contre le projet et voici que je ne puis le faire. Ce fut pour moi une angoisse profonde de 4 à 6 heures. Je m'étais préparé depuis longtemps, j'avais terminé mon discours pentant la nuit et voici que je ne puis dire en Chambre ce que je pensais. Je n'avais pas eu le courage, ni la force morale, ni la force physique, écrasé, épuisé, réduit à néant, incapable de dire non.

Je consultai quelques collègues; nous fîmes un autre mini-caucus de 4 à 5 heures et tous ensemble, calmement, nous vîmes bien que les amendements de M. Bertrand ne touchaient pas le fond du problème. Ce n'étaient que des recommandations, des incitations afin que les immigrants "puissent" avoir une connaissance de la langue française.

M. Lévesque m'enguirlanda au Café du Parlement... Fernand Lafontaine me recommanda de me taire: "Toi pis Flamand, pensez donc un peu au parti..." Bousquet me dit qu'il incombait à moi seul de prendre ma décision...

Entre temps, je consultai le Président de la Chambre et lui demandai si la procédure me permettait de me relever pour déclarer que je voterais contre le bill. Il me répondit que j'avais épuisé mon droit de parole. Je ne pourrais plus me relever; c'était fini, bien fini.

Vers 5 heures je retournai à mon siège de l'Assemblée Nationale et j'attendis, triste, malheureux, vidé, conscient de mon épouvantable impuissance, de mon incapacité fondamentale. J'attendis et je pensai à ce mandat que mes électeurs m'avaient donné, à cette confiance qu'ils avaient mise en moi en m'accordant leur vote; je pensais aux 40,000 personnes de mon comté là où se posait aussi ce fameux problème linguistique; je pensai à l'Union Nationale, à ce qu'elle avait été depuis 1936, malgré ses tares et ses erreurs; je pensai au programme de 1966 où l'on recommandait de conférer au français, langue de la majorité, le rang et le prestige d'une véritable langue nationale et l'on faisait exactement le contraire en ouvrant imprudemment le barrage qui nous conduirait à l'assimilation progressive; je pensai à tous ces néo-québécois (80%) qui s'anglicisaient; à tous nos assimilés qui optaient pour la langue anglaise.

Il était 5.15 et je pensais à tout cela.

Trois ans et demi au Parlement à observer, à se taire, à écouter sagement les romances des séniors; à se laisser bercer par eux, attendre 20 ans comme eux ont attendu, et attendre quoi?

Un poste d'adjoint-parlementaire? Un ministère? Et puis après? Non, la vie politique avait une autre dimension, le rôle d'un député ne se limitait pas à tenir un parti au pouvoir par la force du nombre.

5.30, et tout cela remuait dans mon esprit.

Allons-nous nous laisser avoir encore une fois comme les autres se sont laissés avoir? nous ne pouvons pas nous laisser écraser sans dire un mot, sans nous exprimer, sans dire ce que nous ressentons, ce que nous avons dans le ventre. Le "toué, té toué" de Duplessis, c'était fini; nous étions en 1969; une ère nouvelle apparaissait au Québec.

5.45 et j'attendais toujours.

Je pensai à tous ceux qui partout au Québec manifestaient et espéraient que quelqu'un se lève et parle en leur nom; tous ceux-là qui n'étaient pas représentés au Parlement. Ce fameux vendredi, ils étaient tous montés ensemble à Québec, espérant être entendus; ils avaient répondu à un appel mystérieux et personne ne les avait reçus, les députés s'étaient tous réfugiés dans leurs comtés. Cette marée humaine s'était rendue devant ses chefs pour y trouver un espoir.

Ce n'étaient pas des barbus qui manifestaient, ce n'étaient pas des extrémistes qui voulaient tout casser; ce n'étaient pas des organisateurs en mal de publicité. Non. C'étaient des Québécois angoissés, troublés, qui criaient leur profond désespoir; ils étaient pris d'un sentiment d'impuissance, ils se sentaient abandonnés. Ils avaient fermé leurs livres et leurs cahiers, ils avaient laissé leur travail parce que d'autre chose les y poussait; ils avaient quitté leurs maisons pour monter ici au Parlement comme en pélerinage: ce peuple marchait depuis 1837. Il s'imposait que quelqu'un se lève en leur nom et s'oppose à cette loi. Puis, soudain, comme un écho à ma réflexion, j'entendis la voix d'Antonio qui me pressait de me relever. Dans ce désert de solitude, cette voix amie, c'était la voix du Québec.

Il était 5.57.

Je me secouai, déterminé à me relever, à me débarrasser de mes peurs, de mes angoisses, à faire taire en moi le vieil homme craintif; il s'imposait que je me tienne debout. On ne peut pas éternellement se faire écraser sans rouspéter, sans contester. J'avais été élu pour faire quelque chose: la nation l'exigeait. Il fallait plonger, les yeux fermés...

Et voici que Pierre Laporte, cherchant à me ridiculiser à son tour, m'attaqua en ces termes: "Nous avons obtenu des amendements qui ont rendu la loi acceptable et qui – on me permettra de le souligner – a permis au député de Saint-Jean, après avoir obtenu pendant un certain temps une publicité considérable, a permis..." C'était la chance inespérée, en m'interpellant, Pierre Laporte me donnait droit de réplique. Piqué au vif, je saisis cette planche de salut. Mû par un ressort aussi puissant que mystérieux, je me lève aussitôt, j'invoque mon privilège de député et je dis enfin que je voterai contre le bill en 2e lecture. C'était la suite logique du discours que j'avais prononcé quelques minutes auparavant.

Je venais de remporter une victoire sur moi-même, sur le parti qui nous contraignait à voter pour ce bill. Je m'étais enfin libéré de mes craintes, de mes traumatismes, de la peur de l'opinion publique.

Après cette volte-face, Claude Gosselin et Maurice Bellemare me traitèrent de malade et me recommandèrent de consulter un psychiâtre.

* * *

Il ne nous restait plus qu'à voter contre ce fameux bill en deuxième lecture, ce qui se fit dans la soirée du 4 novembre 1969:

89 en faveur, 5 contre, 2 abstentions et 11 absences. C'est en toute liberté intérieure que je pus me lever avec MM. Flamand, Lévesque, Tremblay et Michaud pour voter contre le bill Bertrand-Lesage, contre les deux partis unis dans cette triste et éphémère alliance.

Je passai le reste de la soirée et de la nuit seul avec M. Flamand pour organiser notre travail de contestation des jours suivants.

* * *

Le projet, ayant passé l'épreuve de la deuxième lecture, le processus législatif devait nécessairement suivre son cours; que me restait-il à faire sinon partir tout de suite? De plus les quatre contestataires se réunissaient déjà depuis quelques jours pour organiser cette nouvelle opposition dite circonstancielle. Il s'imposait maintenant de remettre ma démission. Et ce ne fut pas là chose facile. Il s'avéra aussi difficile pour moi de sortir de l'UN qu'il m'en avait coûté pour y entrer.

M. Bertrand m'avait bien spécifié que je devrais démissionner si je votais contre le projet de loi. Il fallait donc me décider. Cela m'a pris quatre longs jours. Le dimanche suivant, ma lettre était écrite.

Je m'étais initié aux rites de l'UN, à ses habitudes, à ses façons de vivre et de s'amuser; j'aimais cette grande famille humaine et chaude; j'aimais ses grandes réunions d'organisateurs, de militants où tout le monde s'amusait et riait, ces grandes assemblées de 5,000 personnes au Reine Elisabeth, celle de Trois-Rivières en 1967; on avait vécu ensemble des heures intenses: la victoire de 66, la belle période de l'Expo et la visite du général de Gaulle; ces grands débats en Chambre qui parfois finissaient à 7.00 heures du matin; aussi des souvenirs pénibles m'y attachaient, les maladies de M. Johnson, sa mort subite qui nous laissait tous orphelins; puis cette convention de juin 69 où la lutte fut "virile". C'était une immense famille qui avait des membres partout, à Rouyn-Noranda, à Sherbrooke, à Gaspé, à Roberval; nous avions des amis partout, dans tous les coins du Québec (surtout depuis que nous étions au pouvoir).

Je m'étais attaché à plusieurs députés; au sympathique Robert Lussier, à Jean-Paul Beaudry, très humain, au Dr. Lizotte, le seul qui nous comprenait et nous aidait pendant la crise, parce que lui aussi avait dû démissionner en 1960; au grand Lafontaine, intelligent et très habile; au bon Francis Boudreau, le Père Lelièvre du parti, celui qui voulait placer tout le monde au gouvernement, et qui se choquait parce que la Fonction Publique en plaçait plus que lui; à Jean-Paul Cloutier qui nous écoutait toujours avec délicatesse et attention et qui m'avait donné "mon" hôpital; à Yves Gabias que j'ai appris à connaître sous un autre jour, tellement différent de ce qu'en avait fait la publicité; au dynamique et joyeux Gabriel Loubier, toujours au service des députés; au distingué Jean-Marie Morin, homme sûr et responsable; au grand Allard, toujours plein d'enthousiasme; à Reynald Fréchette, homme sensible et plein d'intuition et de coeur; aux Gardner, aux Grenier, aux D'Anjou, aux Desmeules, aux Léveillé, aux Martel, aux Shooner, aux Simard, aux Flamand, aux Bousquet, aux Croisetière, à tous ceux-là avec qui j'étais très lié. La politique est l'activité humaine qui unit le plus profondément les êtres, je crois, je ne sais par quel mystère. C'est par l'action politique que nous fraternisons le plus. Et ce sont parfois des liens aussi forts que ceux de la famille. Même après la convention de juin 69, la plupart oubliaient leurs luttes passées et se retrouvaient.

En quittant cette famille politique, quelque chose de profond remuait en moi; une partie de ma vie s'effaçait. Trois ans et demi avec un groupe laissent des marques indélébiles. Ces liens politiques se situent à un niveau bien différent des autres, ce sont des attaches mystérieuses, difficiles à définir. C'est pourquoi l'on a vu des hommes comme Henri Bourassa et Laurier, autrefois du même parti, se livrer des luttes très dures et revenir ensuite à l'amitié; on a vu Maurice Duplessis et Camilien Houde, après des années d'opposition, se retrouver sur les mêmes tribunes.

Je quittais des hommes de parti comme Dominique Lapointe, Roger Ouellette (qui était là depuis 1936). Paul Chouinard, Jean Loiselle, Christian Viens, Jean Bruneau, Marc Faribault, Charles Doucet, André Lagarde, Rodrigue Pageau, Réjean Desjardins, M. Pinault, Paul Gros d'Aillon, tous ceux-là qui formaient les cadres du parti et qui étaient tous présents en 66, presque tous en 69 et un peu moins à l'élection d'avril 70. Je songeais à tous les "bleus" de mon comté auxquels j'étais si fortement attaché et qui ne comprendraient pas mon geste parce que chez eux l'esprit de parti était enraciné, imbriqué, indélogeable. Ils ne comprendraient pas que l'UN ne servait plus les intérêts de la nation, qu'au contraire elle les desservait.

Ce n'était pas une formation politique que je quittais mais bien des hommes, des amis avec qui le dialogue avait été facile et la compréhension réciproque; je me devais de m'en détacher sans rien connaître de l'avenir...

Le lundi 10 novembre, je reçus comme d'habitude les électeurs à mon bureau; quelques-uns vinrent me demander des "faveurs", en se dépêchant parce qu'ils savaient qu'il ne me restait que deux jours de "pouvoir".

J'arrivai à Québec le mardi midi et je demandai à ma secrétaire Mme Vézina de dactylographier ma lettre de démission; elle répugna à le faire; attristée, elle me dit que cela n'avait aucun sens, que je devais essayer de rester encore quelque temps. A l'heure du lunch, je vis M. Flamand; il s'opposa à ma démission parce qu'ayant lui aussi voté contre le gouvernement, il se devrait alors de me suivre et sa stratégie était tout autre (il entendait continuer la lutte jusqu'au bout à l'intérieur du parti). Mais pour moi, au dessus de tout cela il s'agissait d'être logique avec le geste précédemment posé.

J'avais demandé à M. Roger Ouellette, chef de cabinet du Premier Ministre, de me ménager une entrevue pour 2.00 heures. Je pris donc mon courage à deux mains et je m'ordonnai de descendre.

M. Bertrand me reçut poliment, amicalement, avec un certain sourire; il s'attendait à ma visite. Je lui remis donc ma lettre de démission qu'il accepta tout de suite. Il me demanda d'enlever cette partie de la lettre où je disais ceci: "Ne m'avez-vous pas d'ailleurs demandé ma démission à deux reprises si je parlais et votais contre le projet de loi." Je refusai en disant que c'était là la vérité.

A 3.00 heures, à l'ouverture de la session je lus ma lettre de démission; quelques collègues, les Gosselin, les Bellemare, applaudirent de soulagement, tandis que M. Bertrand souriait en regardant Jean Lesage et quelques libéraux; enfin il était parti. (L'autre, Flamand, partirait le lendemain). C'en serait fait "des séparatistes," une fois pour toute.

Je traversai la Chambre la journée même pour m'asseoir du côté de l'opposition. Je pus, enfin, me reposer, calme, détendu, après un épouvantable stress de deux mois de luttes, de déchirements, d'angoisses et d'incertitudes. J'étais devenu un député indépendant et libre.

* * *

Ma démission étant remise, Flamand devenait la cible unique de ses collègues; il aurait désiré qu'on demeure au sein du parti, chacun à notre extrémité, "la mitrailleuse à la main pour descendre le cabinet Bertrand ou pour au moins le tenir en joue assez longtemps" me disait-il. Moi étant parti, ils se sont précipités sur le seul maquisard qui résistait encore au sein de l'UN; ce fut une vraie boucherie. Heureusement que cette tête de Turc avait des nerfs d'acier. Ce soir du 11 novembre, M. Flamand proposa une motion pour restreindre la liberté d'enseignement à ceux qui résidaient au Québec depuis 1969 seulement; pendant qu'il présentait sa motion, il fut l'objet des sarcasmes les plus bas de la part de M. Lavoie, de M. Bertrand, de M. Rémi Paul, avec la complicité de M. Lesage, évidemment qui demandait s'il était encore adjoint parlementaire (ce qui impliquait un supplément de $4000). Et Rémi Paul de répondre: "Y va le perdre à souèr"; tandis que Flamand parlait, M. Bertrand, afin de lui faire perdre contenance, ordonna, de façon à être entendu de lui, un caucus spécial pour l'expulser.

Ce caucus dura plus d'une heure (de 10 à 11 heures); on eut à son endroit les paroles les plus dures; on l'accusa d'avoir été le préféré de Daniel Johnson, d'avoir tout obtenu de lui et de ne pas être de l'Union Nationale. M. Bertrand demanda sa démission sur le champ; il se servait du caucus pour l'écraser parce que seul il n'aurait jamais pu l'expulser; il ne possédait pas assez de force morale pour le faire. Le lendemain à 10.00 heures, M. Flamand se rendit à son bureau et remit la démission demandée et exigée la veille.

M. Flamand était attaché à l'Union Nationale; il y travaillait depuis 1948, depuis l'âge de 18 ans; (1) il a préféré sa nation à son parti en refusant de voter pour ce fameux bill; il a agi froidement, calmement et conscient de tout; il se montra fidèle à l'esprit du parti, à la pensée autonomiste de Duplessis et à *Egalité ou Indé-*

---

(1) Alors que plusieurs députés UN travaillaient pour le Parti Libéral en 1960 et en 1962.

pendance de Daniel Johnson. M. Bertrand l'a mis à la porte de son parti parce qu'il défendait les intérêts de la nation; il l'a fait avec l'aide et la complicité de ses collègues (et celle de Lesage, qui a dû lui conseiller de se débarrasser de ses séparatistes).

Les tories l'emportaient sur les nationalistes, définitivement. M. Bertrand ne se rendait pas compte de ce qui se passait en ce mois de novembre 1969. Tout un secteur de la population était soulevée contre son gouvernement et tous les corps intermédiaires formaient en quelque sorte l'opposition puisque l'opposition officielle s'était ralliée au pouvoir.

En ne soumettant pas à un vote libre une question aussi vitale que le bill 63, M. Bertrand avait étouffé dans son parti les voix qui représentaient des centaines de mille Québécois, donc des centaines de mille votes. Les ministres Cardinal et Masse, ces représentants de l'aile nationaliste, se sont tus; ils ont suivi leur maître et n'avaient plus de voix au chapître; les députés Grenier et Bousquet, se sont abstenus; Antonio Flamand et moi-même, fûmes brutalement expulsés du caucus et du parti pour nous être opposés à cette loi. L'Union Nationale était vidée de tout son passé, de tout son esprit et de toute sa substance parce que MM. Bertrand et Lesage, et plusieurs autres, entendaient régler rapidement l'affaire de Saint-Léonard; parce que les journaux anglais titraient: "M. Bertrand must act;" parce qu'on voulait anéantir le clan Cardinal; et tout cela s'est accompli en l'espace d'un mois. En reniant tout son passé nationaliste, sa raison d'être même, l'Union Nationale venait de se saborder. Ce fait fut constaté le 29 avril 1970.

Tous les députés et ministres de la région de Montréal perdirent leur dépôt parce que ce bill touchait réellement le problème fondamental de cette Métropole. C'est là que se joue tout le drame des Canadiens-français; c'est là que les deux groupes linguistiques s'affrontent à tous les jours; et c'est là que nous perdons du terrain, régulièrement. M. Bertrand a réglé l'affaire Saint-Léonard d'un seul coup parce que "tout ce qui traîne, se salit"; il l'a réglé, "visière levée".

Victime de son complexe de colonisé et de la rouerie des libéraux, M. Bertrand venait de liquider son parti. Plus de 20 députés peut-être 30, des deux côtés, auraient préféré s'abstenir ou voter contre; ils ont été contraints de voter pour parce que les deux chefs avaient imposé le vote obligatoire; notre démocratie n'admet pas la dissidence, surtout quand les ordres viennent d'ailleurs.

Tout cela a permis de clarifier bien des situations: chacun a pu donner sa vraie mesure. De plus, les éléments politiques se sont groupés dans les partis qui leur convenaient: les fédéralistes ont rejoint les libéraux; les québécois se sont dirigés vers le Parti Québécois; 19% de l'électorat a accordé son vote, l'un des derniers, à l'Union Nationale par habitude partisane ou à cause des candidats.

* * *

Le lendemain de ma démission, M. Lavoie, le whip en chef de l'UN, sans perdre un instant m'obligea à changer de bureau me plaçant à côté de M. Lévesque. C'était une promotion... puisque je serais bientôt le deuxième dans le Parti Québécois.

Nous nous rencontrions tous les jours pour continuer cette lutte de l'opposition circonstantielle.

8 *René Lévesque*

Durant tout un mois, cinq députés ont tenu le gouvernement en haleine en présentant plus de dix motions d'amendement, de révocation, d'ajournement ou de renvoi. Nous nous réunissions en caucus, un peu partout, selon les circonstances, soit au Clarendon, soit au Château, soit au Café du Parlement, soit au bureau de M. Lévesque ou au mien. Les motions étaient préparées par M. Lévesque avec l'aide de quelques personnes (des parlementaires et des non-parlementaires); nous les secondions à tour de rôle et discourions pour justifier nos positions et aussi pour tenir le temps. (1) Vers la fin des débats, tous étaient épuisés et à court d'arguments. La documentation sur le sujet étant assez restreinte, nous appréciâmes grandement la collaboration de quelques recherchistes et universitaires.

Le jeudi soir, à 9.00 heures, le 20 novembre, M. Lévesque décida de mettre un terme à cette opposition, laquelle s'est dissoute le soir même, après le vote: 67 en faveur du projet de loi, 5 contre, 2 abstentions et 33 absences. Le bill avait été déposé, le jeudi 23 octobre; il nécessita donc exactement quatre semaines de débats. Quelques minutes avant ce vote historique, une bombe

---

(1) M. Michaud fit, durant cette période, les interventions les plus remarquables de toute sa carrière parlementaire.

éclatait au Collège Loyola. Ce fut la panique au Parlement: plusieurs s'attendaient à ce que d'autres événements de même nature surviennent les jours suivants. M. Rémi Paul, apprenant la nouvelle, s'écria en me toisant du regard: "C'est de votre faute si tout cela arrive..." et Marc Bergeron me lança cette boutade: "La publicité vient de finir pour vous autres à soir." Ils n'avaient rien compris à tous ces problèmes.

* * *

Durant toute cette période, je collaborais avec M. Lévesque qui m'avait accueilli comme un frère d'armes. Ayant dû quitter le parti libéral en 1967 et ayant eut à vaincre plus d'une fois la tentation du dégoût, phénomène bien connu en politique, il se trouvait en mesure de comprendre ma situation. Il faut avouer que j'étais assez écorché par mes récentes expériences. Dans mon cas, l'accession à la liberté fut un long accouchement dont je me remis lentement.

* * *

M. Lévesque s'est toujours révélé un excellent parlementaire. Depuis 66, j'eus maintes occasions d'apprécier l'originalité de ce politique. D'une très grande vivacité d'esprit, il a la repartie rapide et pertinente; son style direct et agressif en fait un batailleur acharné. Ce n'est pas un stratège au sens habituel du terme. Mais cette absence de stratégie confond l'adversaire qui pour le cerner se voit contraint de composer avec l'imprévu... La spontanéité du style de M. Lévesque, ses mouvements improvisés, déroutent l'ennemi habitué aux stratégies longuement calculées,

En Chambre, ses interventions étaient toujours remarquées et son message traversait ce mur infranchissable qu'est le Parlement. Chez lui, le don de la parole se traduit par une charge émotive constante et par un choix d'images qui visualisent d'une façon saisissante sa perception des choses. Dans des phrases percutantes, il empoigne le réel et l'exprime avec force.

* * *

Durant cette période d'opposition dite circonstancielle, il se montra brillant meneur parlementaire, préparant lui-même les motions ou les soumettant à une équipe compétente pour ensuite distribuer le travail selon les aptitudes de chacun. Il savait exploiter à bon escient les possibilités de ses collaborateurs et permettait à tous de s'exprimer. (Cependant avec lui il vaut mieux ne pas se prendre pour d'autres parce qu'alors il se retourne vite sur ses talons). Durant toute cette guérilla parlementaire, il mania habilement les *Règlements de l'Assemblée Législative;* mais ce n'est certes pas là son champ d'action préféré.

* * *

Durant ces durs débats du mois de novembre, les deux partis s'acharnèrent contre lui. Ils firent preuve à son endroit d'une bassesse inqualifiable. On avait recours aux arguments les plus fantaisistes; les attaques fusaient de toute part; elles venaient d'un Lafrance, d'un Bellemare, d'un Jean-Noël Tremblay et de tous ces illustres anonymes dont on peut retrouver les noms dans *le Journal des Débats.* On faisait un usage abondant de l'insulte dont on variait le genre; on accolait le plus pernicieux persiflage à l'imprécation la plus grossière. Et quand Bacchus entrait dans la danse des mots, les débats prenaient l'allure d'un opéra-bouffe. Mais M. Lévesque, l'esprit en alerte, sans se laisser déconcerter, en pleine possession de lui-même, faisait face à la situation le plus simplement du monde.

Ces débats historiques étaient chargés de mauvais augures difficiles à cerner; chacun le sentait dans ses tripes de politicien.

* * *

Par la souplesse de son tempérament, par la polyvalence de sa personnalité et par sa sensibilité toute particulière, Daniel Johnson saisissait l'âme québécoise à travers l'individualité des personnes. La communication avec son peuple s'établissait à un niveau personnel.

René Lévesque, tempérament entier, esprit synthétique, a de son peuple une perception globale. C'est en face d'une foule qu'il livre le meilleur de lui-même parce que c'est à l'entité québécoise qu'il s'identifie.

Dans leur approche du problème québécois, Daniel Johnson et René Lévesque adoptèrent l'attitude qui convenait à leur tempérament et aux exigences historiques de leur nation.

La trajectoire politique de Daniel Johnson se situait à un moment où un peuple, diminué par la longue humiliation historique, se voyait contraint d'évoluer à un rythme accéléré. Se trouvant en équilibre instable, il était pris de vertige. Et l'idée indépendantiste se frayait un chemin difficile à travers les phantasmes de ce peuple apeuré.

Au doute collectif, Daniel Johnson répondait par une interrogation où questions et réponses se confondaient habilement mais qui aux yeux d'un peuple essoufflé apparut comme une halte, un temps de repos dans ce douloureux enfantement collectif de sa liberté nationale.

Daniel Johnson, ce grand méconnu, conviait son peuple à une libération lente et progressive. Il ménageait les termes et, par sa politique sécurisante, il cherchait à lui éviter les affrontements décisifs parce qu'il ne le sentait pas encore prêt. En étirant le problème constitutionnel, il dorait la pilule. Paternel, avec cette complaisance propre aux êtres tourmentés par leur lucidité, il dorlotait ce peuple effarouché; il espérait pouvoir le libérer lentement en lui retirant ses chaînes, une à une, délicatement. L'histoire aura été témoin de ce doux rêve d'un chef d'Etat, amoureux de son peuple-enfant.

* * *

Mais les événements se bousculent; tout se précipite. René Lévesque est là, prêt; sa mission historique le place dans ce nouveau contexte. Poussé à la limite de l'exaspération, la jeunesse peut poser des gestes étonnants, incompréhensibles. M. Lévesque le sait, le sent. L'affrontement politique est inévitable; heureusement, le peuple a mûri et a quelque peu digéré l'idée nouvelle.

C'est l'étape de la correction fraternelle et dans les discours de René Lévesque la flamme d'un verbe cinglant diffuse une lumière crue; il écarquille les yeux de son peuple, il lui impose la lucidité, condition première de sa libération dans ce contexte nouveau. Les images fusent, abondantes, chargées d'une saisissante signification. Peu à peu, le dialogue s'engage; tout un peuple en attente se prépare à un nouveau destin.

On reste effaré par l'énormité de la tâche qui incombe à René Lévesque. Il détient le sort d'une nation et son défi se situe au niveau du transfert de la responsabilité: il doit préparer tout un peuple à prendre en main la maîtrise de sa destinée.

* * *

L'expérience politique de René Lévesque résume les trois étapes psychologiques du peuple québécois face au problème constitutionnel, soit, premièrement, la prise de conscience, deuxièmement, l'interrogation, troisièmement, la réponse. Etant allergique à toute forme d'exploitation sociale, la prise de conscience s'opéra chez lui à un niveau socio-économique.

Il fut frappé par le problème du financement des caisses électorales parce qu'il illustrait de façon évidente l'exploitation de l'Etat québécois par le pouvoir occulte de l'Establishment.

Lors de la nationalisation de l'électricité, les nombreuses embûches suscitées par les forces obscures de ce gouvernement invisible l'amenèrent aux conclusions qui s'imposaient d'évidence.

Rêvant d'une société normale, la confédération lui apparut sous son vrai jour. Elle prit la dimension d'une immense utopie historique, d'une honteuse fumisterie où le Québécois jouait le rôle de l'éternel perdant. Dans cette exploitation érigée en système, le Québec, vache à lait du Canada, maintenait à grands frais la bonne santé d'une confédération qui sournoisement et surement lui préparait une douce mort lente, par désintégration sociale et nationale.

* * *

L'étape de l'interrogation s'échelonna sur quelques années, période durant laquelle les événements historiques se succédèrent; la montée difficile du R.I.N., la visite du Général, la démission de François Aquin, etc... Ce temps lui permit de comparer, d'ajuster et d'élaborer un nouveau système politico-économique.

La réponse arriva avec sa thèse Souveraineté-Association et la création du Parti Québécois.

A l'idée purement indépendantiste qui en rebutait plusieurs, il apportait une solution mitigée en ajoutant la notion d'interdépendance par le mot Association. C'est en quelque sorte l'égalité de Daniel Johnson sortie de l'ambiguité et exprimée en termes clairs.

Comme la conception d'égalité de Daniel Johnson comportait l'idée d'un territoire national, d'une langue prioritaire et de la récupération intégrale des impôts (programme de l'Union Nationale, en 66) cela laisse supposer qu'une union monétaire et commerciale, aurait été négociée; la seule vraie différence entre ces deux options réside dans le choix des termes.

Daniel Johnson avait choisi le mot égalité, terme d'une équivoque savante, afin de rassurer un peuple inquiet et surtout afin de ne pas effaroucher l'Establishment aux abois. Mais le général de Gaulle, dans sa sagesse gamine, avait vite saisi l'astuce et il ne rata pas l'occasion de souligner que la revision constitutionnelle mènerait nécessairement à l'indépendance.

* * *

René Lévesque décida d'apprivoiser systématiquement ce peuple déjà plus mûr et de le prémunir contre les prétentions mensongères et la propagande à spectres de l'Establishment.

Si la lucidité d'un Daniel Johnson l'obligea à conditionner son agir politique à l'angoisse de son peuple, celle de René Lévesque lui permit d'accélérer la marche des événements.

Si en percevant les gémissements d'un peuple en gésine, Daniel Johnson put s'identifier à un Québec inquiet, René Lévesque, qui entend déjà les forts accents d'un chant libérateur, peut s'identifier à un Québec devenu impatient.

* * *

La politique de René Lévesque à l'égard de l'élément anglais en fut une de main tendue. Dans tous ses discours, il invitait les anglophones du Québec à se joindre à nous pour former une seule et même patrie. Le programme du Parti Québécois faisait grand état de leur réalité linguistique et sociale. Sa candidature dans le comté de Laurier constituait une sorte de pari car il misait sur leur bonne volonté. Tout comme Daniel Johnson avait tenté le test confédératif avec Ottawa, René Lévesque tenta le test du bon-ententisme avec les anglophones du Québec: il essuya la même rebuffade. Cette seconde leçon de fair-play, servie aux anglo-saxons, fut reçue avec le même mépris des règles du jeu.

René Lévesque s'étant honorablement acquitté envers le anglophones d'un devoir de haute civilité, il ne lui restait plus qu'à ajuster sa politique *aux circonstances imposées par eux.* Représentant de la nation québécoise, conscient de sa responsabilité, il comprit qu'il lui était désormais interdit de compromettre le droit à la liberté de tout un peuple pour se ménager de vaines espérances. La responsabilité du comportement des anglophones incombe maintenant à leurs représentants (ils sont 72 au Parlement de Québec avec, en plus, la députation créditiste, bel exemple de sureprésentation!) Ne serait-ce pas faire montre d'une inconséquence grave et d'un complexe de supériorité que de prétendre solutionner un problème qui ne nous appartient plus et de s'aviser de veiller sur des droits si bien défendus alors que les nôtres sont si éminemment menacés? Il ne siérait pas de sortir d'un complexe pour tomber dans un autre.

* * *

René Lévesque a vite compris que l'indépendance du Québec devait d'abord se réaliser dans le coeur et l'esprit du peuple québécois. Héritier comme nous tous de ce complexe d'infériorité national, il dut jadis livrer le grand combat contre lui-même. Il a éprouvé, lui aussi, ce sentiment d'impuissance qui s'accroche à notre statut de colonisé. Conscient de la complexité du problème québécois parce que l'ayant lui-même vécu, c'est en toute connaissance de cause et avec un art consommé qu'il fouille l'âme de son peuple pour en extirper le traumatisme ancien. Il se fait le chirurgien de cette maladie héréditaire dont il mesure l'étendue des implications psychologiques.

La mystique de René Lévesque se traduit par une sorte de symbolisme populaire qui s'acharne à libérer notre subconscient collectif. Démystificateur par excellence, il dénombre et identifie tous les fantômes obsédants de la mythologie québécoise. En familiarisant le peuple avec l'objet de ses peurs, il le rend conscient que ce phénomène d'hallucination est collectif et il exerce par là la thérapeutique de l'apprivoisement. René Lévesque compose d'égal à égal avec son peuple. En traquant la peur il fait un aveu admirable. Et c'est sa condition de colonisé libéré qui constitue tout le poids de son autorité. C'est la fraternisation dans la reconnaissance collective d'une blessure commune et ancienne et ce sont des retrouvailles autour d'un même espoir de guérison.

* * *

Les Québécois se retrouvent en René Lévesque, ce grand vainqueur de lui-même, comme devant un miroir magique, plus forts et plus puissants. Aussi éprouvent-ils à l'écouter "le sentiment de s'élever à une vie supérieure plus haute et plus pleine ou tout au moins plus ardente et plus intense, riche de tous les espoirs qu'il leur inspire. En exprimant sous une forme qui soit accessible à tous, des idées qui répondent à ce qu'ils éprouvent, il les aide à prendre conscience d'eux-mêmes; il leur donne une foi et les assure dans leur foi." [1] Ce verbo-moteur dit tout haut ce que chacun pense tout bas. Il atteint toutes les couches de la société, de l'universitaire au rural, parce qu'il exprime ce qu'il y a de plus profond, de plus caché, de plus authentiquement québécois. Ce phénomène d'identification se manifeste si fortement que nous éprouvons de la pudeur à l'admirer.

* * *

(1) André Joussain.

Les discours de ce libérateur de notre subconscient collectif apparaissent comme autant de séances d'exorcisme où il chasse les démons hallucinants de notre peur nationale.

Pendant des heures, à l'Aréna Maurice Richard, au Centre Paul Sauvé et partout au Québec, une foule attentive écoutait cette longue litanie où chacun de nos sentiments s'extériorisait et se libérait. J'ai vu 5,000, 10,000, 20,000 personnes qui à travers lui exaltaient leur identité, s'exprimaient, se nommaient. Et quand il s'emportait, quand il s'envolait, nous percevions l'écho de ses craintes passées et en l'écoutant le Québécois étonné se surprenait à se demander si la peur n'était pas la condition même du courage.

* * *

Par la simplicité de sa personne, René Lévesque a aboli le mythe du surhomme omnipuissant et assoiffé de pouvoir. Il puise sa force dans la connaissance de ses propres limites, dans sa conviction d'homme et dans l'espérance de tout un peuple.

Au culte de la personnalité, il oppose l'image d'un homme de bonne volonté que le destin a chargé d'une lourde responsabilité et quand la foule l'acclame ce n'est pas une idole qu'elle encense mais un homme en chair et en os à qui elle communique sa foi en l'avenir.

Autant M. Lévesque se montre agressif et volubile dans ses propos publics, autant dans le privé il est timide, réservé, secret même.

La simplicité constitue tout le charme de l'homme et par là il aura aussi aboli le mythe du dandy: il n'a ni coiffeur, ni tailleur, ni chauffeur; il n'a rien d'un narcisse et il a horreur du cabotinage. Le seul luxe qu'il s'offre c'est celui d'être lui-même. Il sera toujours ce Québécois authentique en qui nous nous retrouvons tous.

* * *

Les fantômes des ruines de l'Establishment hantent le Québec mais pour René Lévesque ce sont de vieux familiers. Il les déshabille, les scrute et les décortique: effeuillage progressif d'une peur collective. Il la combattra, cette chimère québécoise, cette peur ingrate qui dépouille un peuple de ses héros et à son "humble avis" les fantômes repartiront... tout effrayés.

* * *

Le mercredi, 26 novembre, encore au Salon Rouge (parce que M. Bertrand m'avait refusé l'accès aux autres salles du Parlement), j'annonçais officiellement mon adhésion au Parti Québécois. Mon entrée dans ce nouveau parti s'est faite naturellement; je commençais à prendre des habitudes de décision. Je devenais le deuxième député dans le Parti: j'en étais le whip, le secrétaire parlementaire, le conseiller juridique, etc... Nous n'étions que deux.

J'avais fait cette conférence de presse à 2.00 heures précises. M. Lévesque était au rendez-vous, souriant, fraternel. Le Parti doublait sa députation, d'un seul coup.

Septembre 1970.

* * *

"Ce qui m'étonne, dit Dieu, c'est l'espérance.
Et je n'en reviens pas.
Cette petite espérance qui n'a l'air de rien du tout.
Cette petite fille espérance.
Immortelle.

C'est cette petite fille pourtant qui traversa les mondes.
C'est cette petite fille de rien du tout.
Elle seule, qui traversera les mondes révolus.

La petite espérance s'avance...
et on ne prend seulement pas garde à elle.
Sur le chemin du salut, sur le chemin charnel,
sur la route interminable.
S'avance..." [1]

---

(1) Charles Péguy.

TABLE DES MATIÈRES